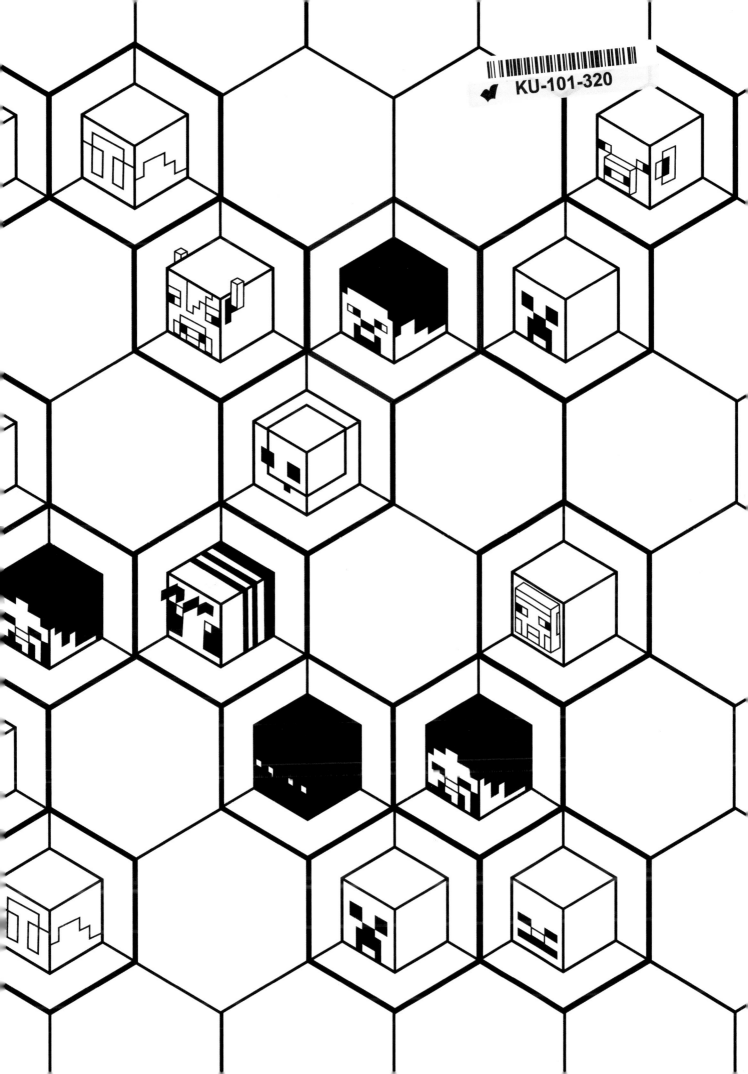

Título original: *Minecraft Annual 2025*
Editado por HarperCollins Ibérica, S. A., 2024
Avenida de Burgos, 8B – Planta 18
28036 Madrid
harpercollinsiberica.com

© de la traducción: Raúl Sastre, 2024
© de esta edición: HarperCollins Ibérica, 2024

Publicado originalmente por HarperCollinsPublishers, 1
London Bridge Street, Londres SE1 9GF (Reino Unido)

Todos los derechos están reservados, incluidos los de reproducción
total o parcial en cualquier formato o soporte.

Agradecimientos a Sherin Kwan, Alex Wiltshire,
Jay Castello, Milo Bengtsso y Kelsey Ranallo

Este libro es creación original de Farshore.

Ilustraciones adicionales de George Lee y Joe McLaren.
Imágenes adicionales de Shutterstock

ISBN: 978-84-1064-162-4
Depósito legal: M-15406-2024

Maquetación: Gráficas 4
Adaptación de cubierta: equipo HarperCollins Ibérica

Impreso en Rumanía

SEGURIDAD *ONLINE* PARA LOS MÁS JOVENES

¡Pasar el rato *online* es muy divertido! Os proponemos unas reglas sencillas para vuestra seguridad.
Es responsabilidad de todos que Internet siga siendo un lugar genial.
– Nunca des tu verdadero nombre ni lo pongas en tu nombre de usuario.
– Nunca facilites información personal.
– Nunca le digas a nadie a qué colegio vas ni cuántos años tienes.
– No des a nadie tu contraseña excepto a tus padres o tutores.
– Recuerda que debes tener 13 años o más para crear una cuenta en muchas webs.
– Lee siempre la política de privacidad y pide permiso a tus padres o tutores antes de registrarte.
– Si ves algo que te preocupa o te molesta, díselo a tus padres o tutores.
Protégete *online*. Todas las páginas web que aparecen en este libro son correctas en el momento
de la impresión. Sin embargo, HarperCollins no se hace responsable del contenido de terceros.
Recuerda que el contenido *online* puede cambiar y hay páginas web cuyos contenidos no son
adecuados para niños. Recomendamos que los niños solo accedan a Internet bajo supervisión.

MINECRAFT

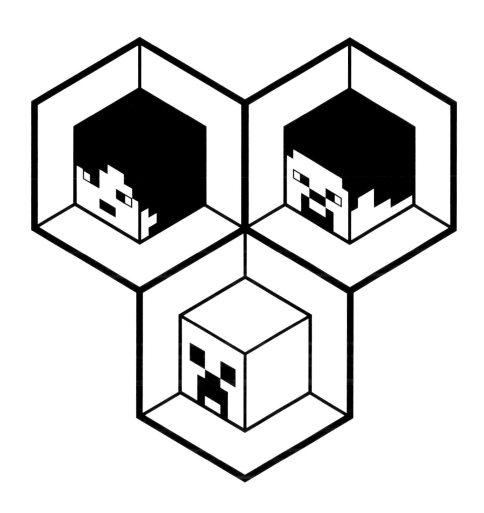

ANUARIO 2025

ÍNDICE

20

22

48

COLORES

EL MUNDO DE MINECRAFT

RETO

ACTIVIDAD

CREATIVIDAD

¡HOLA!

¡Bienvenido al *Anuario de Minecraft de 2025*! Este ha sido un año muy especial para nosotros, ¡celebramos nuestro 15.º aniversario!, y nos emocionamos al echar la vista atrás.

Como siempre, hemos hecho un gran esfuerzo para actualizar Minecraft y crear unos desafíos, unos bloques y unos mobs para que todo el mundo disfrute aún más. Sí, es como un soplo de aire fresco, ¿o en realidad eso que noto es la brisa? Debes tener cuidado con esos mobs de cejas espesas que están en las nuevas cámaras de pruebas, pero si eres capaz de evitar sus ataques ventosos y de destruir los generadores que crean mobs hostiles sin parar, ¡obtendrás toda clase de tesoros!

En este libro exploraremos otros retos, como construirte una nueva vida en el Inframundo y conseguir los 16 adornos de armadura. Y si lo que más te gusta es construir, ¿por qué no nos preparas un pastel gigante para nuestro 15.º cumpleaños? Pero además, este libro contiene muchas otras actividades, desde recorrer un laberinto submarino hasta rellenar un cuestionario para descubrir a qué mob te pareces más. ¿Que quién soy yo? ¡Pues un aldeano bibliotecario, por supuesto! Por cierto, este tomo también incluye un juego de mesa para disfrutar con amigos y una receta de bloques de brownie.

No importa si has jugado a Minecraft desde que nació o si este ha sido el primer año que lo has hecho: nos alegramos de que te sumes a celebrar todo lo que hemos logrado. ¡Adelante!

Jay Castello
MOJANG STUDIOS

UN AÑO DE MINECRAFT

DESCUBRE CON NOOR

¡Qué año tan increíble hemos vivido en Minecraft! No solo lo hemos pasado preparando el 15.º aniversario de Minecraft, ¡además hemos tenido muchísimas actualizaciones realmente fascinantes! Vamos a echar un vistazo a lo que ocurrió el año pasado, por si acaso se te ha pasado algo por alto.

15.º ANIVERSARIO

¡Minecraft cumple 15 años! ¡15 años donde se ha explorado y construido muchísimo y ha habido infinidad de actualizaciones! Echa una ojeada a la página 20 para ver cómo ha crecido el juego en ese tiempo.

MINECRAFT LIVE

En Minecraft Live hubo actualizaciones fascinantes para compartir con todo el mundo. Vimos trabajos increíbles realizados por la gente de la comunidad, y descubrimos una nueva estructura, un mob hostil ventoso y algunos bloques realmente geniales; entre ellos, el artífice. Si quieres saber más al respecto, ve a la página 10.

¡MINECRAFT ALCANZA LOS 300 MILLONES DE COPIAS VENDIDAS!

En los 15 años de vida de Minecraft, ¡se han vendido más de 300 millones de copias del juego! Para celebrarlo, Mojang ha compartido algunas estadísticas. Cada día, de media, 15 millones de esqueletos son derrotados; se hacen 700 000 pasteles; se fabrican 8,8 millones de picos; se domestican 400 000 lobos; se descubren 6,7 millones de diamantes; se usan 915 000 cerdos como medio de transporte, y un total de 0 creepers sonríen. Pobres creepers, ¡alguien debería darles uno de esos pasteles!

LAS MELODÍAS *LO-FI*

Mojang ha lanzado varias listas de reproducción de la música de Minecraft, Minecraft Dungeons y Minecraft Legends. Y con un toque *lo-fi,* perfectas para que te relajes, juegues y estudies. Podrás encontrar estas listas de reproducción en la mayoría de las plataformas de música, así como en el Programa de Inicio de Minecraft.

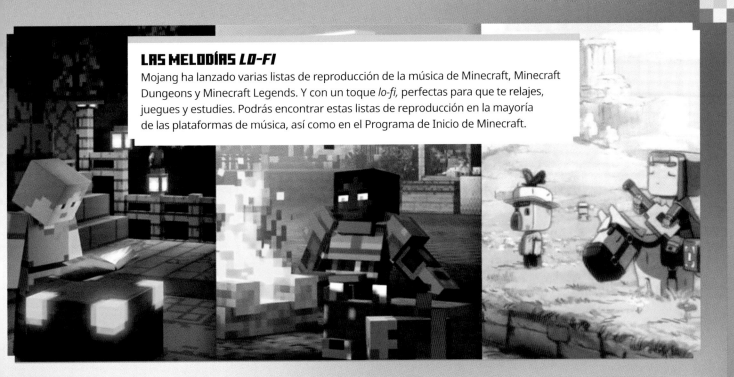

LOS OLFATEADORES ENCUENTRAN SEMILLAS Y ROBAN CORAZONES

Este año, los jugadores han descubierto lo genial que es criar a sus propios olfateadores. Estos mobs grandes y torpes son increíblemente adorables y buscarán cualquier semilla enterrada. Cuando la encuentran, se dejan caer al suelo con las patas extendidas y excavan con el hocico. ¿Ya has logrado criar un olfateador?

LOS ENCANTAMIENTOS DEL ALDEANO

Ahora, los libros de encantamientos que puedes intercambiar con los aldeanos vienen determinados por el bioma del que procede el aldeano.

LA ACTUALIZACIÓN DE PRUEBAS COMPLICADAS

Con la última actualización, se han añadido todo tipo de apasionantes aventuras nuevas al juego; entre ellas, las cámaras de pruebas, que son todo un desafío. ¿Ya has explorado alguna? Descubre qué más se ha añadido en la página 36.

LAS MACETAS DECORADAS

Ahora las macetas decoradas no son solo unos adornos bonitos, ¡también puedes esconder cosas en ellas!

MINECRAFT LIVE

Minecraft Live se celebra anualmente y da a la comunidad la oportunidad de descubrir las próximas novedades. ¡Y, por supuesto, no podemos olvidarnos de la votación para elegir mob! ¿Te conectaste a ver la del año pasado? Si no fue así, ¡no te preocupes, que vamos a ponerte al día!

DESCUBRE CON NOOR

ACTUALIZACIÓN DE LAS PRUEBAS COMPLICADAS

Mojang solo nos dio algunas pistas de una pequeña parte de las apasionantes novedades que traerá la próxima actualización: las cámaras de pruebas, los generadores de pruebas y un nuevo mob hostil, la brisa, así como bloques nuevos de cobre y el artífice.

DATOS SOBRE EL ARMADILLO

Este año se podía votar por tres mobs nuevos fascinantes: el cangrejo, el pingüino o el armadillo, ¡y el armadillo salió vencedor! Aquí tienes todo lo que necesitas saber sobre este mob tan adorable que acaba de incorporarse al Mundo Superior.

¿Tienes ojos de araña en tu inventario? Si los sacas de ahí, cualquier armadillo que esté cerca te seguirá.

¿Te has encontrado dos armadillos? ¡Si los alimentas con ojos de araña, tendrán un cachorrillo! ¡Qué mono es!

NOTAS SOBRE ESTE MOB

COMPORTAMIENTO: Este mob pasivo se hace una bola si se le lastima; así se protege. Las arañas lo evitan: ten alguno cerca cuando se pone el sol.

¿QUÉ SUELTA?: Suelta escamas de armadillo, pero no es necesario derrotarlo. Cepíllalo o espera un poco y ya verás cómo suelta una escama ¡y seguirá su camino tan feliz!

También podrás acelerar el crecimiento de una cría de armadillo si le das de comer ojos de araña. En resumen, si te gustan los armadillos, ponte a buscar ojos de araña.

HÁBITAT

Los armadillos se encuentran normalmente en los biomas de la sabana, donde suelen aparecer por parejas o tríos. No obstante, si tienes suerte, ¡también podrás encontrarlos en biomas de los páramos!

¡Con escamas de armadillo, puedes confeccionar una armadura para proteger a tu leal lobo mascota!

RETO DE SUPERVIVENCIA
VIVIR EN EL INFRAMUNDO

SOBREVIVE
CON SONNY

Ah, el Inframundo. Con mobs aterradores, peligrosos precipicios y charcos de lava. El lugar perfecto para asentarse, ¿verdad? Pero no te desanimes; aquí podrás hallar montones de tesoros con los que llenar tu base. ¡Así que prepara tu inventario y disfrutemos de una aventura apasionante en el Inframundo!

1 ¿QUÉ LLEVAR?

Si buscas con el suficiente ahínco podrás encontrar las cosas que necesitas en el Inframundo, pero lo complicado es sobrevivir lo suficiente para dar con todas..., así que prepara tus bolsas de viaje primero. Deja huecos libres para los tesoros que vas a hallar y llena tu inventario con madera, comida, armas y herramientas, una montura, un embudo y una caña de pescar. Además, equípate al menos con una pieza de una armadura de oro.

2 LO PRIMERO ES LO PRIMERO

Al llegar al Inframundo, examina lo que te rodea. ¿En qué bioma estás? ¿Estás tan cerca de la lava o un barranco que podrías caerte? ¿Algún mob está a punto de atacarte? Si estás en un lugar relativamente seguro, busca la mayor cantidad posible de mineral de oro, ya que más adelante necesitarás lingotes de oro para comerciar con los piglins.

3 EL SUELO ES LAVA

En el Inframundo, siempre estarás cerca de un charco de lava, pero ¡hay una solución perfecta para resolver ese problema! El lavagante es el único mob pasivo que encontrarás en el Inframundo. Podrás colocarle una montura, cabalgarlo y dirigirlo adonde quieras siempre que le pongas delante su comida favorita: el hongo deformado.

4 EL PRECIO JUSTO

No tardarás en toparte con un piglin cuando te infiltres en un bastión en ruinas o en una fortaleza del Inframundo. Estos mobs son neutrales, pero solo si llevas una pieza de oro encima. Si vas vestido de un modo adecuado y llevas un lingote de oro, podrás comerciar con un piglin. ¡Y ellos te lanzarán un objeto a cambio! ¡Cómo mola!

5 EL GRITO DEL GHAST

Si oyes algo que te recuerda a un gato bostezando, seguido de un chillido aterrador, ¡agáchate! Un ghast acaba de lanzarte una bola de fuego. Estos mobs espectrales, que flotan en el aire, aparecen en los valles de arena de almas, los deltas de basalto y los biomas de los yermos del Inframundo, así que procura estar alerta en esas zonas.

6 UNOS HUESOS ANTIQUÍSIMOS

En el bioma del valle de arena de almas, podrías toparte con una enorme estructura fosilizada, ¡que se asemeja a los huesos de una bestia prehistórica colosal! ¡Es algo digno de verse! ¡Mola mucho!

7 EL BASTIÓN EN RUINAS

El bastión en ruinas es uno de los dos tipos de estructuras que vas a encontrarte en el Inframundo. Alberga toda clase de tesoros, como la plantilla de forja de hocicos y el patrón de estandarte, obsidiana llorosa, un disco de música Pigstep y la plantilla de forja para actualizar la inframundita. Como hay un montón de cofres por todas partes para saquear, ¡ve a ver qué puedes encontrar! Pero ten cuidado, no podrás calmar a los piglins brutos ofreciéndoles oro, así que asegúrate de tener un arma preparada.

SOBREVIVIR EN EL INFRAMUNDO

8 SÉ UN LADRÓN SIGILOSO

A los piglins no les hace ninguna gracia que les robes. Así que si abres un cofre en un bastión en ruinas o una fortaleza del Inframundo, tendrás que enfrentarte a uno o dos piglins. ¿Qué puedes hacer para no vértelas con ellos? Pues recurrir a tu astucia. ¿Te acuerdas del embudo que te recomendamos traer? Excava el bloque bajo el cofre y coloca el embudo ahí: podrás sacar todos los objetos del cofre sin que los piglins se den cuenta. ¡¿A que es genial?!

9 LA FORTALEZA DEL INFRAMUNDO

Si aspiras a ser un mago de la alquimia, querrás explorar una fortaleza. Es el hogar de los blazes, un mob con muy mal genio. Suelta varas de blaze al ser derrotado, que resultan esenciales para fabricar soportes para pociones o unos ojos de Ender con los que localizar un portal del End. En la fortaleza, también hallarás verrugas del Inframundo (necesarias en muchas pociones), así como la plantilla de forja de costillas y muchas otras cosas.

10 ECHA EL ANCLA

Cuando ya hayas pasado un tiempo suficiente en el Inframundo, echarás de menos el sol; es decir, no hay un ciclo de luz natural. Y si vivir en una oscuridad eterna no te parece bastante desalentador, debes saber que no podrás dormir, ¡ya que las camas explotan si las colocas en el Inframundo! Pero ¿y si quieres colocar un punto de regeneración? Entonces, hazte con la cantidad suficiente de obsidiana llorosa y piedras brillantes y fabrica un ancla de regeneración.

11 MATERIAL RESISTENTE

Si quieres unas herramientas y una armadura resistentes, consigue inframundita y la plantilla de forja para actualizar inframundita. Puedes saquear estructuras en busca de fragmentos de inframundita o excavar para encontrar restos ancestrales, que es el mineral a partir del cual se obtiene la inframundita.

12 ¿ESTÁS HAMBRIENTO?

¿Ya se te ha terminado la comida? Tienes dos opciones: construir un portal que te permita regresar al Mundo Superior para hacerte con más alimentos o arriesgarte y cazar un hoglin. Dentro de las limitadas opciones gastronómicas que ofrece el Inframundo, tenemos a este mob, que te proporcionará chuletas de cerdo..., ¡pero no será nada fácil de vencer!

13 DESTINO TURÍSTICO CALUROSO

Visita los cinco biomas del Inframundo: el valle de arena de almas, los deltas de basalto, el bosque carmesí, el bosque deformado y los yermos del Inframundo.

ENCUENTRA LAS DIFERENCIAS
EL CEREZAL

Después de pasar un largo día explorando, Ari y Kai han montado su campamento en un cerezal. Tal vez sea por las llamas titilantes de la fogata o por el cansancio y el hambre, pero las cosas se ven diferentes a su alrededor... ¿Tú también puedes verlo? Encuentra las diez diferencias entre ambas escenas y márcalas aquí abajo.

1 ⬡ 2 ⬡ 3 ⬡ 4 ⬡ 5 ⬡ 6 ⬡ 7 ⬡ 8 ⬡ 9 ⬡ 10 ⬡

Comprueba las respuestas en la página 68

DISEÑOS DE ARMADURA

Desde 2023, se puede obtener un nuevo botín: los diseños de armadura. Como ahora hay 16 plantillas de herrería, 6 materiales y 10 cristales/lingotes que se pueden usar con 4 piezas de armadura, ¡puedes crear miles de combinaciones diferentes! No proporcionan una protección extra, pero ¿a que quedan genial?

LOS MATERIALES DE LA ARMADURA

Puedes añadir adornos a todos estos materiales.

CUERO

ORO

COTA DE MALLA

HIERRO

DIAMANTE

INFRAMUNDITA

¡UN GRAN CONSEJO!

Puedes usar un cristal o lingote del mismo material que la armadura; el adorno, simplemente, tendrá un tono más oscuro.

LOS MATERIALES PARA LOS ADORNOS

Estos son los materiales que usarás con la plantilla de herrería para añadir adornos de varios colores.

AMATISTA   CUARZO

COBRE   HIERRO

DIAMANTE   LAPIS-LÁZULI

ESMERALDA   INFRA-MUNDITA

ORO   REDSTONE

LAS PLANTILLAS DE HERRERÍA

Para añadir adornos a tu armadura, combina, en una mesa de herrería, una plantilla de herrería, un cristal o un lingote y una pieza de armadura. Ten cuidado, las plantillas de herrería escasean y solo se pueden usar una vez, así que cuida tus nuevos y elegantes adornos.

Actualiza tu equipamiento

COSTA
DÓNDE: En pecios
SE GENERAN: 2 en cofres al azar
BLOQUE DE DUPLICACIÓN: Adoquín

DUNA
DÓNDE: En templos del desierto
SE GENERAN: 2 en cofres al azar
BLOQUE DE DUPLICACIÓN: Arenisca

OJO
DÓNDE: En fortalezas
SE GENERA: 1 en cofres de altar, al azar, y 1 en cofres de biblioteca
BLOQUE DE DUPLICACIÓN: Piedra del End

ANFITRIÓN
DÓNDE: En ruinas perdidas
SE GENERA: 1 en grava sospechosa, al azar
BLOQUE DE DUPLICACIÓN: Terracota

ELEVADOR
DÓNDE: En ruinas perdidas
SE GENERA: 1 en grava sospechosa, al azar
BLOQUE DE DUPLICACIÓN: Terracota

COSTILLA
DÓNDE: En fortalezas del Inframundo
SE GENERA: 1 en cofres, al azar
BLOQUE DE DUPLICACIÓN: Infiedra

CENTINELA
DÓNDE: En puestos de avanzada de los saqueadores
SE GENERAN: 2 en cofres, al azar
BLOQUE DE DUPLICACIÓN: Adoquín

MOLDEADOR
DÓNDE: En ruinas perdidas
SE GENERA: 1 en grava sospechosa, al azar
BLOQUE DE DUPLICACIÓN: Terracota

SILENCIO
DÓNDE: En ciudades antiguas
SE GENERA: 1 en cofres, al azar
BLOQUE DE DUPLICACIÓN: Pizarra abismal empedrada

HOCICO
DÓNDE: En bastiones en ruinas
SE GENERA: 1 en cofres, al azar
BLOQUE DE DUPLICACIÓN: Rocanegra

AGUJA
DÓNDE: En ciudades del End
SE GENERA: 1 en cofres, al azar
BLOQUE DE DUPLICACIÓN: Púrpura

MAREA
DÓNDE: En monumentos oceánicos
SE GENERA: Quizá 1 al derrotar un guardián anciano
BLOQUE DE DUPLICACIÓN: Prismarina

VEX
DÓNDE: Mansiones del bosque
SE GENERA: 1 en cofres, al azar
BLOQUE DE DUPLICACIÓN: Adoquín

GUARDA
DÓNDE: En ciudades antiguas
SE GENERA: En cofres, al azar
BLOQUE DE DUPLICACIÓN: Pizarra abismal empedrada

BUSCADOR
DÓNDE: En ruinas perdidas
SE GENERA: 1 en grava sospechosa, al azar
BLOQUE DE DUPLICACIÓN: Terracota

SALVAJE
DÓNDE: En templos de la jungla
SE GENERAN: 2 en cofres, al azar
BLOQUE DE DUPLICACIÓN: Adoquín musgoso

15 AÑOS DE MINECRAFT

¿No te parece increíble que estemos celebrando los 15 años de Minecraft? En todo este tiempo, el juego ha seguido desarrollándose y se le han añadido elementos nuevos. Echemos un vistazo a la evolución de Minecraft, así como a algunos de los elementos asombrosos que se han añadido.

DESCUBRE CON NOOR

¡EL NACIMIENTO DE MINECRAFT!

¡No solo fue el año en que nació el juego, sino también en el que surgieron los *Minecrafters*! ¿Ya eras parte de la comunidad?

ACTUALIZACIÓN DE LA AVENTURA

Esta actualización trajo estructuras que fascinan a los exploradores, como las aldeas, las fortalezas y las minas, ¡además de la dimensión del End! Y ese mismo año se añadieron los aldeanos, los Endermen, los peces plateados y las arañas de las cuevas.

UNA ACTUALIZACIÓN BASTANTE ATERRADORA

Esta actualización introdujo mobs bastante aterradores, como el Wither, los esqueletos de Wither, las brujas y los aldeanos zombis.

ACTUALIZACIÓN DE COMBATE

Se le añadieron al End las islas exteriores, las ciudades del End, los shulkers, los árboles coral y quizá el botín más fascinante del juego: los élitros... ¡¿Quién no desea volar?!

2009 2010 2011 2012 2013 2014 2015 2016

NACE EL INFRAMUNDO

Solo un año después de que se creara el Mundo superior, se añadió el Inframundo, ¡con algunos de los espantosos mobs que aún lo habitan!

ACTUALIZACIÓN DE LOS CABALLOS

Además de los caballos que dan nombre a esta actualización, se añadieron burros, mulas, caballos esqueleto y caballos zombi, ¡se acabó el caminar!

UNA ACTUALIZACIÓN GENEROSA

Steve estuvo cinco años muy solo antes de que Alex apareciera en el juego. Pero Alex no fue la única mejora: también se añadieron los monumentos oceánicos, con sus muchos bloques y guardianes. Además, se incluyeron los conejos...

ACTUALIZACIÓN DE LA EXPLORACIÓN

Se añadieron al Mundo superior las mansiones del bosque con sus gruñones habitantes: vindicadores, evocadores y vexes. ¡Y también las llamas!

15 YEARS

ACTUALIZACIÓN DE LOS COLORES DEL MUNDO

Esta actualización aportó bloques muy coloridos al Mundo superior al introducir el hormigón y el polvo de hormigón de colores, así como la terracota acristalada y la opción de teñir las camas. ¡Y se añadieron loros al juego!

LA ALDEAS Y LOS SAQUEOS

Este fue un año muy emocionante y aterrador para los aldeanos. Se añadieron oficios, pero se ganaron un enemigo nuevo: los saqueadores. Desde entonces, si un jugador entra en su aldea con el efecto de Mal Presagio, los maldeanos aparecerán para atacarles en oleadas. ¡AY!

ACTUALIZACIÓN DEL INFRAMUNDO

Esta actualización llenó el Inframundo de piglins, hoglins, zompuerquines y lavagantes (estos últimos son adorables). Eso sí, ¡los nuevos biomas y la inframundita fueron una aportación genial!

CAMINOS Y RELATOS

Una gran actualización para los exploradores más intrépidos: se introdujeron la arqueología y las plantillas de herrería. ¿Y quién no adora el nuevo bioma de los cerezales?... ¡¿Y a los camellos?!

2017 **2018** **2019** **2020** **2021** **2022** **2023** **2024**

ACTUALIZACIÓN ACUÁTICA

Bucear por el océano se volvió más emocionante, pues se añadieron mobs marinos, pecios y tesoros enterrados, ¡para que disfrutes de nuevas aventuras de piratas!

LAS CUEVAS Y LOS BARRANCOS

Se sumaron cuevas diferentes (entre ellas, las cuevas frondosas), y conocimos un mob muy adorable: el ajolote. ¡Además de cabras y calamares brillantes!

PRUEBAS COMPLICADAS

Y así llegamos a 2024, en el que nos enfrentamos a un nuevo desafío: las cámaras de pruebas. Este peligroso tesoro oculto mantendrá a los exploradores en vilo durante muchos años más...

LA ACTUALIZACIÓN SALVAJE

Esta actualización fue ranatástica, pero también aterradora. Se añadió la temible rana y el superadorable warden... ¡Espera, esto no es todo! Vinieron con sus hábitats propios: el manglar y la oscuridad profunda.

RETO DE CUNSTRUCCIÓN
UNA BASE CON FORMA DE TARTA

¡Únete a la fiesta del 15.° aniversario de Minecraft creando esta base de aspecto delicioso! Gracias a esta construcción, tus amigos te visitarán (¡y también zombis!) con muchas ganas de probar el pastel (¡y cerebros!). ¡Comamos, digo, construyamos!

DIFICULTAD:
★★☆☆☆
🕐 25 minutos

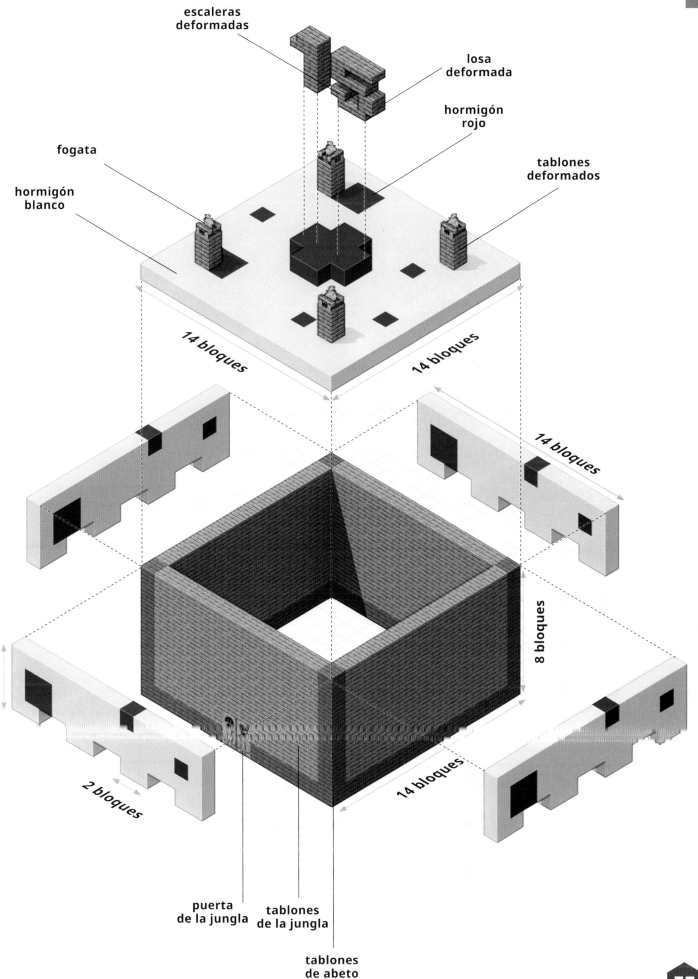

escaleras
deformadas

losa
deformada

hormigón
rojo

fogata

tablones
deformados

hormigón
blanco

14 bloques

14 bloques

14 bloques

8 bloques

4 bloques

2 bloques

14 bloques

puerta
de la jungla

tablones
de la jungla

tablones
de abeto

UN LABERINTO DE MINECRAFT
EL LECHO OCEÁNICO

PUZLES
CON STEVE

Makena y Ari están buscando un tesoro submarino. ¿Puedes ayudarlos a encontrar el camino por el lecho oceánico? Pero date prisa..., ¡olvidaron sus cascos de caparazón de tortuga! Y recuerda: evita a los guardianes y a los guardianes ancianos.

SALIDA

META

La solución, en la página 68

RECORDANDO CON MOJANG STUDIOS

DESCUBRE
CON NOOR

En estos 15 años, Minecraft ha adquirido una dimensión ENORME. Ahora cuenta con cientos de bloques, decenas de mobs y diversos biomas y modos de juego. Con tantas cosas para elegir, ¡no es fácil decidir qué es lo que más te atrae de Minecraft! Veamos qué es lo que más les gusta a los creadores de Mojang. ¿Me acompañas?

EL CUBO DE MAGMA

JENS BERGENSTEN, DIRECTOR CREATIVO

Me encanta el aspecto y los ruiditos que hace el cubo de magma. ¡Es una criatura muy de Minecraft!

EL GHAST

ANNA LUNDGREN, PRODUCTORA

Me encanta el ghast. ¡El escalofrío que sientes cuando entras en el Inframundo y escuchas esos ruidos que casi parecen risitas es impagable! Que sean adorables y peligrosos a la vez los hace aún más interesantes.

EL INFRAMUNDO

MATT GARTZKE, GESTOR DE LA COMUNIDAD

¡Adoro los bosques deformados que se añadieron con la actualización del Inframundo! Pero cada vez que intento construir una casa en esa zona, ¡aparece un ghast que me fastidia!

EXPLORAR NUEVOS MUNDOS

JASPER BOERSTRA, DIRECTOR DE ARTE

Lo que más me gusta de Minecraft es crear un nuevo mundo con mis amigos. Mientras buscamos un lugar donde asentarnos, nos metemos en toda clase de líos, porque nos separamos y nos perdemos o ¡porque discutimos sobre si quedarnos en un sitio o continuar viajando!

CONSTRUIR UN PUEBLO

DAVID CARLTON, LÍDER DE DESARROLLO, MINECRAFT REALMS

Adoro construir un pueblo con mis amigos. Vamos de aventuras, exploramos y conseguimos objetos fascinantes; también diseñamos casas impresionantes que reflejan la personalidad de cada uno de nosotros. Siempre hay una historia que contar, como la de un castillo con ciertos toques de rocanegra dorada...

LOS COLORES

KRISTINA HORNER, GESTORA DE LA COMUNIDAD

¡Amo cualquier cosa que haya en el juego que se pueda teñir! Doy color a todo: al hormigón, a los collares de las mascotas, a los cristales tintados... ¡Mi obra maestra es una granja de ovejas arcoíris! Cuenta con una serie de máquinas automáticas para esquilar que me proporcionan toda la lana de colores que me haga falta.

RECORDANDO CON MOJANG STUDIOS

EL ZORRO

CAMERON THOMAS, GERENTE DE LA COMUNIDAD

¡El zorro es mi mob favorito! Los de verdad también me encantan, pero en Minecraft son aún más monos. Puedes hacerte amigo de ellos y, si metes la basura por la noche en los contenedores, no te la encontrarás esparcida en el camino de entrada a la mañana siguiente. ¿Cómo no los voy a adorar?

NARRAR HISTORIAS

AGNES LARSSON, DIRECTORA DE JUEGOS

Me encanta jugar a Minecraft para construir mundos y narrar historias. Con Minecraft y mi imaginación, creo múltiples reinos con dinastías familiares que se extienden varias generaciones, así como aldeas y ciudades con diferentes tiendas y edificios residenciales y culturales.

LOS GATOS

MARIANA SALIMENA PIRES, ARTISTA CONCEPTUAL SÉNIOR

¡Los gatos son lo que más me gusta tanto en Minecraft como en la vida real! Si me topo con uno en una aldea, lo domestico con comida hasta que sea mi mascota. Luego le pongo una chapa identificativa con un nombre gracioso. Mi mascota actual en Minecraft es un gato negro llamado Galletita, que vive conmigo en mi casa champiñón.

MÚSICA

JAY WELLS, GESTOR DE LA COMUNIDAD

Creo que lo que más me gusta es la música. La banda sonora que me acompaña en la dimensión del End siempre me da escalofríos, y tengo recuerdos estupendos de las aventuras que he vivido en el Inframundo con esa música atmosférica sonando de fondo.

EL COMIENZO EN SUPERVIVENCIA

JOSH MULANAX, GESTOR DE LANZAMIENTOS

Me encanta compartir un mundo nuevo en modo Supervivencia con amigos: ¡las posibilidades de vivir aventuras son infinitas y nunca sabemos qué líos nos esperan! Empezamos un mundo nuevo con cada gran actualización e intentamos descubrir las novedades lo antes posible para ver cómo cambia la forma en que construimos una base y exploramos el resto del mundo.

CONSTRUIR BASES

MARC WATSON, PRODUCTOR

Mi parte favorita de Minecraft es crear una base y ponerla a pleno rendimiento para disfrutar con mis amigos. Como cuando construimos muelles pesqueros, plantamos cultivos o intentamos sacar más provecho de los trueques con los aldeanos. ¡Cuanto más eficientes seamos al reabastecernos, antes podremos volver a vivir aventuras!

RAMALES MINEROS

ADRIAN ÖSTERGÅRD, PRODUCTOR DE MÚSICA Y AUDIO

Disfruto mucho con los ramales mineros. Me resulta muy relajante el constante ir y venir por los ramales mientras escucho el ruido que hacen los bloques al romperse. Y son muy placenteros los subidones de dopamina que siento cuando encuentro diamantes... Si combino esto con la banda sonora de Minecraft o mis canciones favoritas, me pongo de muy buen humor.

RETO DE CONSTRUCCIÓN
CONSTRUCTOR DE BAMBÚ

¿Quieres acelerar tus construcciones de bambú en el modo Supervivencia? ¡Prueba este cultivo de bambú automático! Esta máquina cosechará tu bambú y lo enviará a un crafter, donde se convertirá en bloques de bambú. ¿Te urge una casa de bambú? ¡Esto te ayudará! ¿Necesitas un suministro infinito de balsas de bambú? ¡Hecho!

DIFICULTAD:
★★★☆☆
🕐 35 minutos

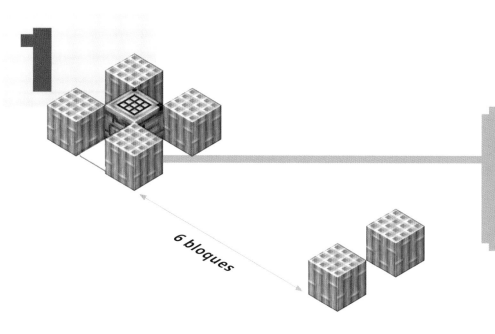

1

Para empezar, coloca un crafter con un plato de presión de hierro delante de él. El plato de presión hará que el crafter empiece a trabajar. Añade 1 bloque de bambú en cada esquina del crafter; luego, añade 2 más, a 7 bloques a la derecha.

6 bloques

Pon un embudo encima del crafter; después, añade otra capa sobre tus bloques de bambú. Ahora, rellena los espacios entre los pilares con bloques de bambú, pero deja libre el espacio sobre el plato de presión.

2

3

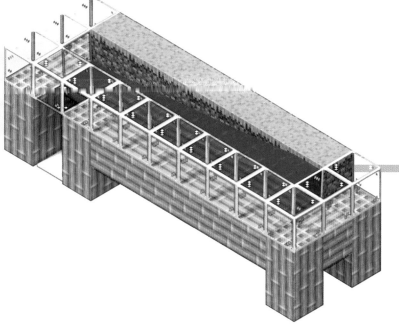

En la parte posterior, añade una fila de bloques de hierba y deja un bloque libre en cada extremo. Completa el rectángulo con bloques de cristal. En el extremo opuesto del embudo, añade 1 bloque de fuente de agua en el hueco. Esto hará que cualquier cosa que caiga en él fluya hasta el embudo y entre en el crafter.

4

Rodea la construcción con otra capa de bloques de cristal. Planta bambú en la hierba. Detrás de los cultivos, añade una hilera de bloques de bambú.

5

Haz una línea de pistones mirando hacia dentro sobre los bloques de bambú. Detrás de estos, suma otra hilera de bloques de bambú. Sube otro nivel los bloques de cristal.

6

Encima de tus pistones, coloca una fila de observadores mirando hacia los cultivos. Detrás de estos, añade una línea de polvo de redstone sobre los bloques de bambú. Los observadores activarán los pistones cuando el bambú crezca, que lo recolectarán y lo empujarán al agua para ser recogido. Añade otra capa de bloques de cristal.

IMAGEN
ROTADA 90°

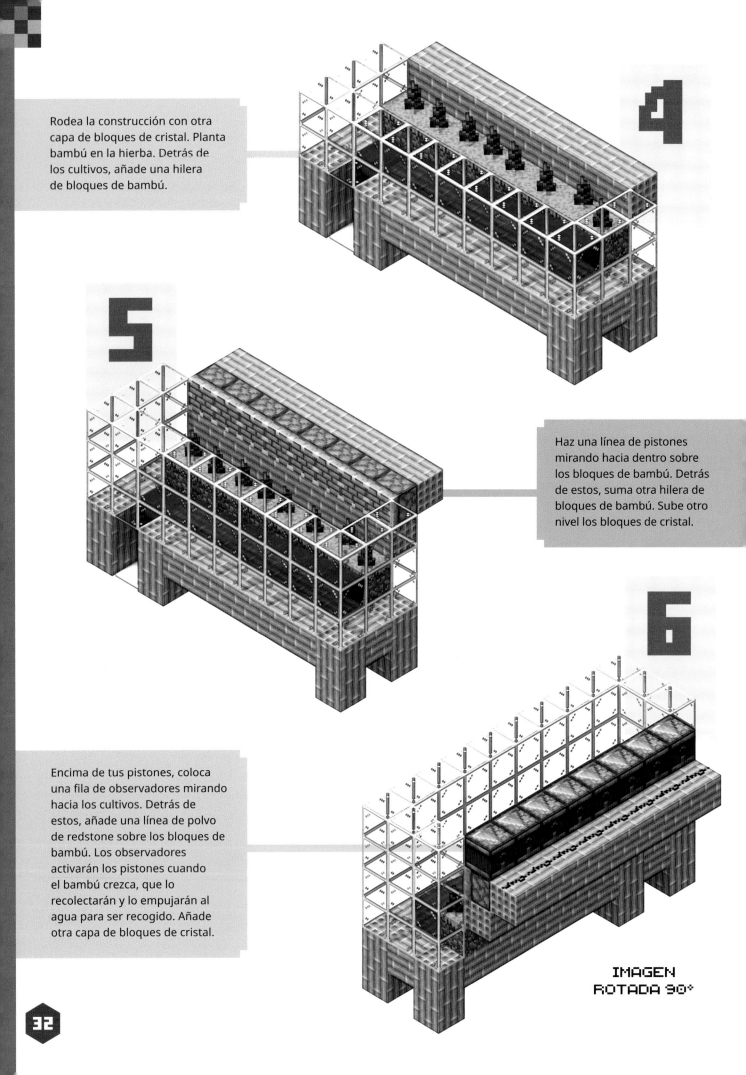

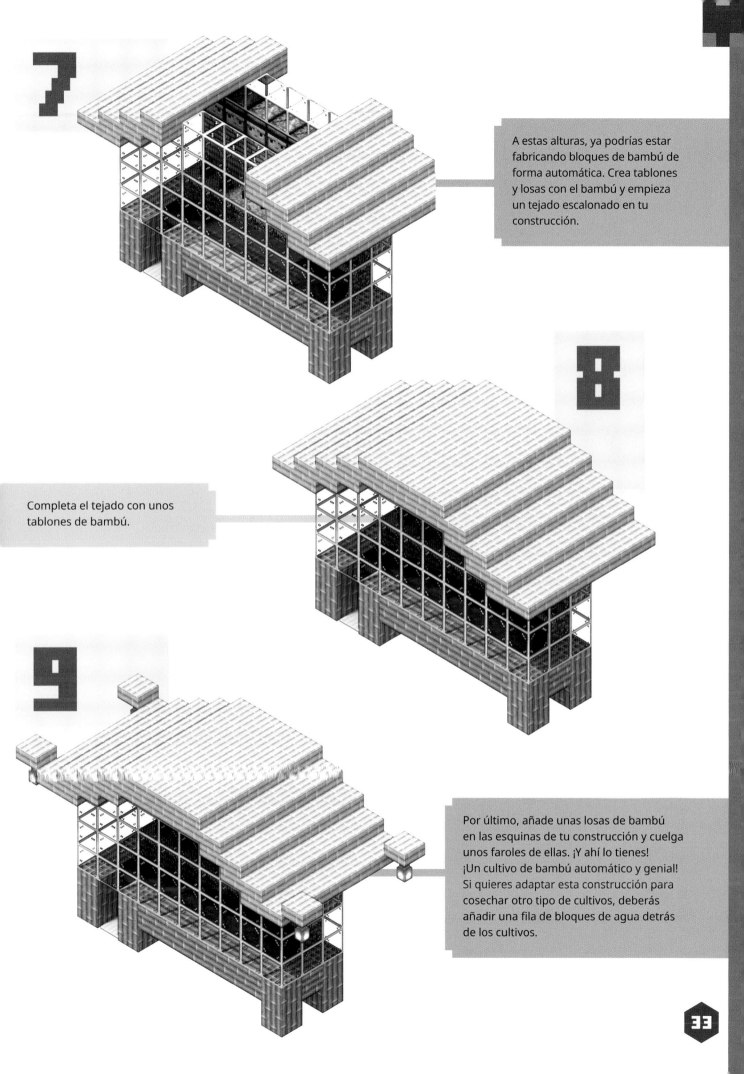

7

A estas alturas, ya podrías estar fabricando bloques de bambú de forma automática. Crea tablones y losas con el bambú y empieza un tejado escalonado en tu construcción.

8

Completa el tejado con unos tablones de bambú.

9

Por último, añade unas losas de bambú en las esquinas de tu construcción y cuelga unos faroles de ellas. ¡Y ahí lo tienes! ¡Un cultivo de bambú automático y genial! Si quieres adaptar esta construcción para cosechar otro tipo de cultivos, deberás añadir una fila de bloques de agua detrás de los cultivos.

JUEGO DE MESA
¡ESCAPA DE LA MINA!

Coge tus dados y queda con amigos, porque vamos a divertirnos con un juego de mesa.
Corre hacia la salida y esquiva los peligros. ¿Llegarás al final ileso o serás víctima
de la lava, los agujeros y los mobs hostiles que acechan en la oscuridad?

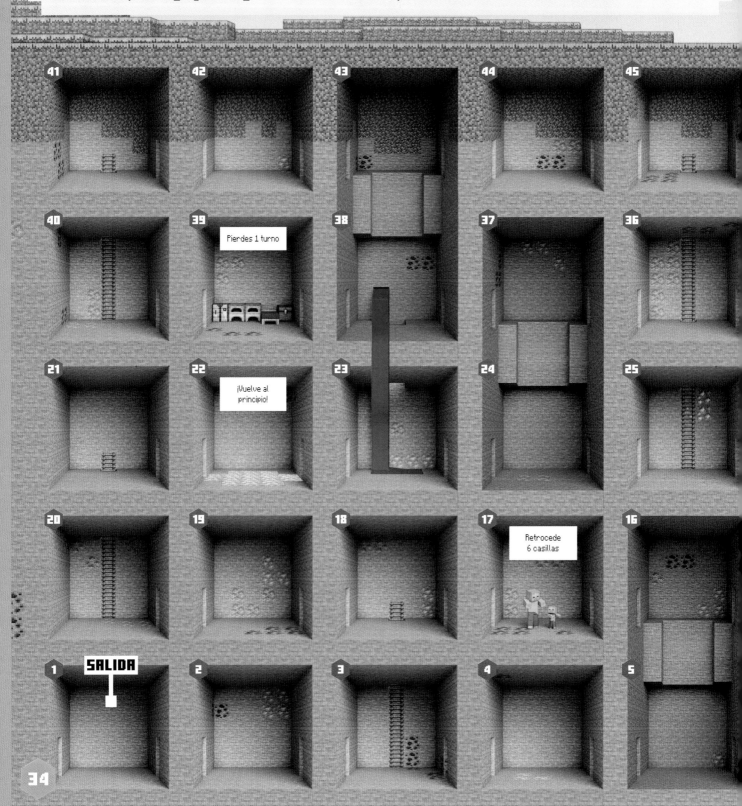

41 42 43 44 45

40 39 **Pierdes 1 turno** 38 37 36

21 22 **¡Vuelve al principio!** 23 24 25

20 19 18 17 **Retrocede 6 casillas** 16

1 **SALIDA** 2 3 4 5

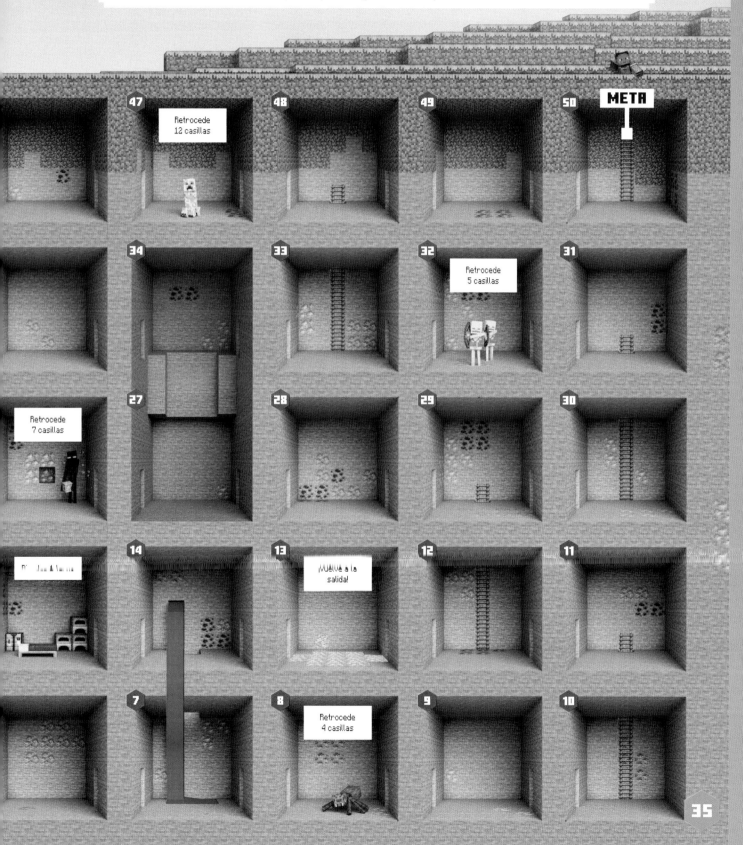

REGLAS

NECESITAS:
- ■ 2 o más jugadores
- ■ 2 dados
- ■ Una ficha para cada jugador (¡puedes hacerlas tú mismo!)

1. Tira los dos dados y avanza tantas casillas como marquen.

2. ¡Si te topas con un lago de lava, tendrás que volver a la casilla de inicio! Si te enfrentas a un mob hostil, retrocederás el número de casillas indicado. En un agujero, caerás a la casilla inferior.

3. Si llegas a una escalera, sube por ella. Si te topas con una cascada, ¡nada hasta arriba!

4. Si llegas a una cama, te echarás una siesta y perderás un turno.

5. ¡Gana quien salga de la mina primero!

47 — Retrocede 12 casillas

48

49

50 — META

34

33

32 — Retrocede 5 casillas

31

27

28

29

30

Retrocede 7 casillas

14

13 — ¡VUELVE a la salida!

12

11

7

8 — Retrocede 4 casillas

9

10

PRUEBAS CUMPLICADAS

Júntate con amigos y poneos unas armaduras, porque esta actualización va a ser una aventura salvaje. Da igual si buscáis viajes multijugador, retos de supervivencia o crear dispositivos de redstone, ¡en esta actualización encontraréis algo fascinante!

ACTUALIZACIONES
CON ALEX

CÁMARAS DE PRUEBAS

Esta estructura subterránea está repleta de pasillos que conducen a cámaras que albergan pruebas y desafíos. Estas salas pueden contener desde cofres a rebosar hasta generadores de pruebas, de los que surgirán hordas de mobs hostiles. ¿Serás capaz de afrontar este desafío?

LA BRISA

Mientras exploras las cámaras de pruebas, es posible que te topes con un nuevo mob hostil: la brisa. Este mob hostil dará vueltas a tu alrededor y te atacará con cargas de viento. Solo te lastimarán si te golpean directamente, pero también pueden interactuar con otros elementos de la sala, como las escotillas, volviendo así la sala en tu contra. Aunque si derrotas a una brisa, ¡podrías hacerte con una carga de viento con la que jugar!

EL ARMADILLO

Este mob parece inofensivo, pero igual que nosotros huimos de las arañas, ¡ellas huyen de los armadillos! Y esto es debido a que este mob desayuna, almuerza y cena ojos de araña. Ten cuidado con las arañas..., ¡irán a por ti!

CRAFTER

Si te encanta el redstone, ya habrás pasado mucho tiempo jugando con este bloque nuevo. Con el crafter podrás automatizar el proceso de fabricación. Llénalo con los materiales necesarios y selecciona la receta adecuada: solo tendrás que apretar un botón y elaborará objetos o bloques hasta que se agoten los materiales que contiene.

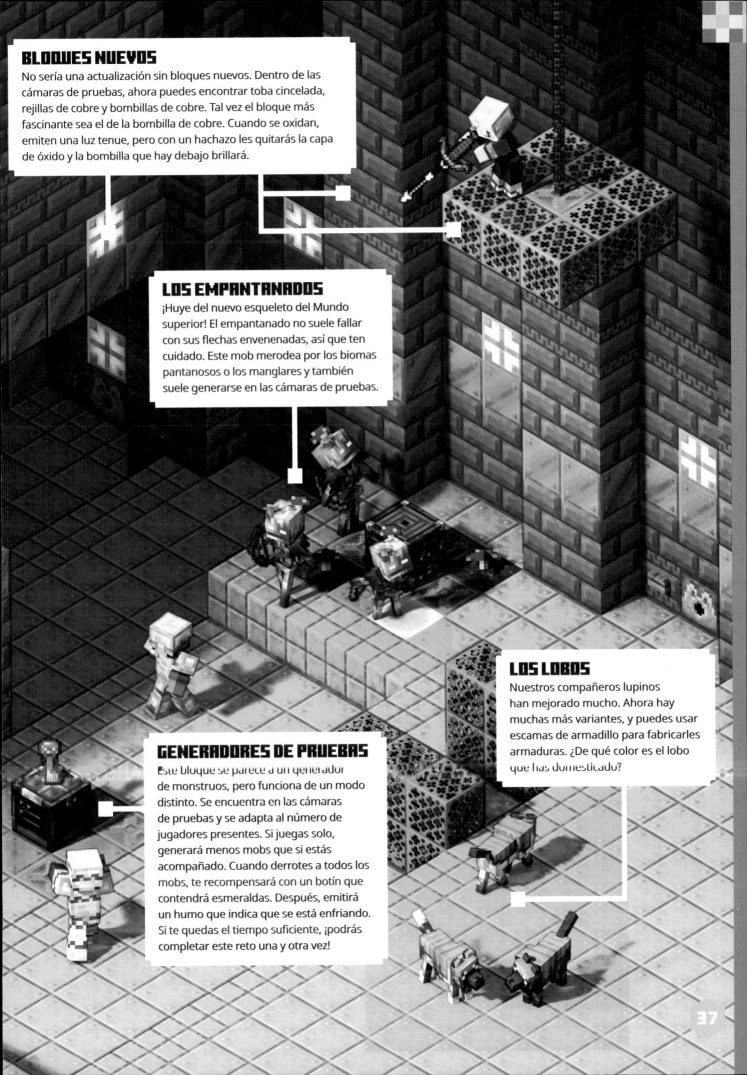

BLOQUES NUEVOS

No sería una actualización sin bloques nuevos. Dentro de las cámaras de pruebas, ahora puedes encontrar toba cincelada, rejillas de cobre y bombillas de cobre. Tal vez el bloque más fascinante sea el de la bombilla de cobre. Cuando se oxidan, emiten una luz tenue, pero con un hachazo les quitarás la capa de óxido y la bombilla que hay debajo brillará.

LOS EMPANTANADOS

¡Huye del nuevo esqueleto del Mundo superior! El empantanado no suele fallar con sus flechas envenenadas, así que ten cuidado. Este mob merodea por los biomas pantanosos o los manglares y también suele generarse en las cámaras de pruebas.

LOS LOBOS

Nuestros compañeros lupinos han mejorado mucho. Ahora hay muchas más variantes, y puedes usar escamas de armadillo para fabricarles armaduras. ¿De qué color es el lobo que has domesticado?

GENERADORES DE PRUEBAS

Este bloque se parece a un generador de monstruos, pero funciona de un modo distinto. Se encuentra en las cámaras de pruebas y se adapta al número de jugadores presentes. Si juegas solo, generará menos mobs que si estás acompañado. Cuando derrotes a todos los mobs, te recompensará con un botín que contendrá esmeraldas. Después, emitirá un humo que indica que se está enfriando. Si te quedas el tiempo suficiente, ¡podrás completar este reto una y otra vez!

RETO DE CONSTRUCCIÓN
LINTERNA DEL PORTAL DEL INFRAMUNDO

CONSTRUYENDO
CON KAI

¡Argh! ¡Tu portal se ha abierto en el Inframundo, pero está muy arriba! Podrías construir unas escaleras... ¡o podrías convertirlo en una linterna del portal colgante! Ponte tus élitros y desciende volando..., ¡pero procura no caer en la lava!

DIFICULTAD:
★★☆☆☆
🕐 25 minutos

38

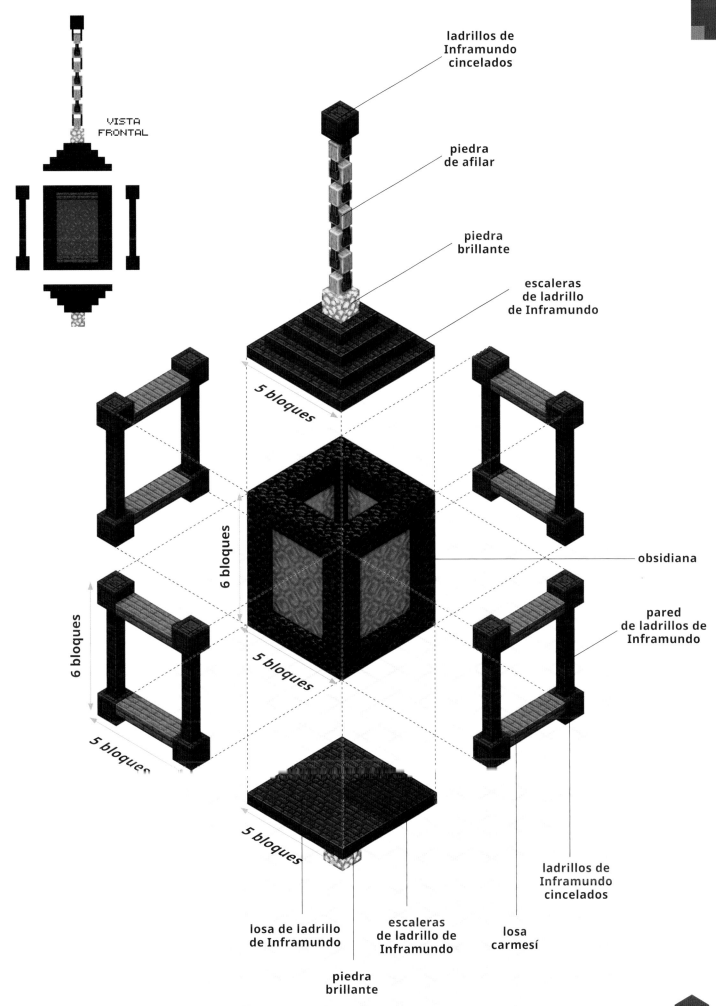

VISTA FRONTAL

ladrillos de
Inframundo
cincelados

piedra
de afilar

piedra
brillante

escaleras
de ladrillo
de Inframundo

5 bloques

6 bloques

6 bloques

6 bloques

5 bloques

5 bloques

obsidiana

pared
de ladrillos de
Inframundo

ladrillos de
Inframundo
cincelados

5 bloques

losa de ladrillo
de Inframundo

escaleras
de ladrillo de
Inframundo

losa
carmesí

piedra
brillante

39

¿QUÉ MOB ERES?

¿Te has preguntado qué mob serías en Minecraft? ¡Rellena este cuestionario y descubre qué mob se parece más a ti! ¿Eres un tímido Enderman, o un ayudante que siempre está ahí para echar una mano a un amigo? ¡Vamos a averiguarlo!

PUZLES CON STEVE

1 ¿Qué haces cuando suena el despertador?

A Ayudo al resto: si están listos a tiempo, yo también lo estaré.

B Me levanto y ataco a cualquiera que me mire antes de que me haya duchado.

C ¡Voy corriendo a desayunar, ¡es la comida más importante del día!

D ¡Uf, qué pronto! ¡Me quedo en la cama!

E Ya estoy despierto y listo para lo que el día me tenga reservado.

2 Si pudieras tener un superpoder, ¿cuál sería?

A Duplicar cosas.

B Teletransportarme.

C Puedo hacer que toda la comida, incluso las verduras, sepan a chocolate.

D Cambiar la forma de otras personas.

E ¿Quién necesita un superpoder cuando tienes buenos amigos que te protegen?

3 ¿Cómo sería tu domingo ideal?

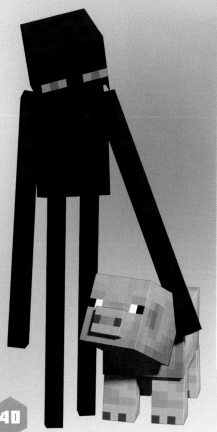

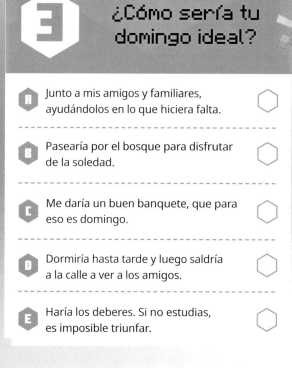

A Junto a mis amigos y familiares, ayudándolos en lo que hiciera falta.

B Pasearía por el bosque para disfrutar de la soledad.

C Me daría un buen banquete, que para eso es domingo.

D Dormiría hasta tarde y luego saldría a la calle a ver a los amigos.

E Haría los deberes. Si no estudias, es imposible triunfar.

MAYORÍA DE A

AYUDANTE

Adoras ayudar a los demás y eres la persona más útil del grupo. Tienes una personalidad alegre y a la gente le encanta tenerte como amigo.

---

4 ¿Cuál es tu asignatura favorita?

A Educación Física: nada me gusta más que correr de un lado a otro. ◯

B Física: adoro aprender sobre el espacio y cómo se mueven las cosas. ◯

C La de teatro: me encanta actuar y convertirme en otra persona. ◯

D ¿Cuenta el recreo? Oh, de acuerdo. Dibujo: amo dibujar manzanas. ◯

E Matemáticas: me encanta hacer cuentas y saber cuánto vale todo. ◯

MAYORÍA DE B

ENDERMAN

Eres tímido y quizás un poco gruñón, pero a pesar de ser un solitario, nadie se atrevería a pelearse contigo, ¡ya que, seguramente, perdería!

MAYORÍA DE C

CERDO

Eres feliz pasando tiempo con tus amigos (alrededor de una mesa, por supuesto) y te encanta contagiar tu pasión por la comida a quienes te rodean.

---

5 ¿Cómo te describirían tus amigos?

A Servicial: siempre estoy cuando me necesitan. ◯

B Inteligente: siempre tengo la respuesta correcta. ◯

C Divertido: siempre estoy haciendo bromas. ◯

D Leal: cuando hago un amigo, es para toda la vida. ◯

E ¿Amigos? ¿Qué amigos? No los necesito. ◯

MAYORÍA DE D

ZOMBI

Quieres que todos sean como tú, porque, al fin y al cabo, eres genial. Tienes muchos amigos y te encanta formar parte de un grupo amplio.

MAYORÍA DE E

ALDEANO

Tienes determinación, adoras la rutina y eres un miembro muy activo de la comunidad. Congenias con todo el mundo y sabes cómo alcanzar tus metas.

MARKETPLACE

En el Marketplace de Minecraft encontrarás nuevos mapas y minijuegos que te permitirán embarcarte en aventuras apasionantes, cambiar el aspecto de tu partida con un pack de texturas o limitarte a dotar a tu avatar de un nuevo estilo más épico. ¡Aquí tienes algunas de nuestras novedades favoritas!

PACK DE TEXTURAS ¡Cambia el aspecto de tu partida con un pack de texturas!

LO-BIT 8-BIT
TETRASCAPE

Este pack de texturas transformará tu mundo en un paraíso de color pastel. Y trae su propia banda sonora para facilitarte aún más la inmersión. ¡Debes probarlo!

TEXTURAS CÚBICAS
HEROPIXEL GAMES

Si los colores pastel no son lo tuyo, prueba este pack de texturas de colores intensos. Son texturas muy sencillas, ¡pero llegarás a creer que estás en un juego totalmente distinto!

PACKS COMBINADOS ¿Quieres historias y texturas nuevas? ¡Prueba un pack híbrido!

VEHÍCULOS
ODYSSEY BUILDS

¿A quién no le gustaría recorrer el Mundo superior en coche? ¡Aquí tienes una ciudad entera para explorar y un montón de vehículos alucinantes que desbloquear!

EL RANCHO DEL UNICORNIO
LIFEBOAT

¡Este pack es mágico! Podrás generar y criar a tu propio bebé unicornio. Cuando crezca, podrás cabalgar con él. Y si esto te parece poco, ¡los unicornios tienen poderes mágicos!

LOS MAPAS DE AVENTURAS

¡Embárcate en una aventura con estos mapas inmersivos!

EL RENACER DE LOS DINOSAURIOS

KUBO STUDIOS

¡Esta es tu aventura si te gustan los dinosaurios! En este mapa, hay más de 50 dinosaurios que podrás criar, domar, incubar y montar..., y hasta pegarte con ellos.

¡DEMASIADO HORROR!

CUBED CREATIONS

Si te atrae el terror, echa un vistazo a este mapa de aventuras. Está repleto de monstruos aterradores y momentos que te pondrán la piel de gallina. ¡Realmente aterrador!

LOS MINIJUEGOS

¿Te apetece un juego nuevo y divertido en Minecraft? ¡Pues prueba un minijuego!

¡SOLO HACIA ARRIBA!

LIFEBOAT

En esta misión tendrás que ascender por el circuito de obstáculos para salvar al gato que está ahí arriba. Y que sepas que, cuando llegues a la cumbre, ¡serás un experto en *parkour*!

FOTOS EN LA NATURALEZA

RAZZLEBERRIES

Explora el mundo mientras fotografías su increíble fauna: a los leones, las jirafas, los elefantes y muchos otros más animales. ¡Qué minijuego tan... salvaje!

LOS ASPECTOS

¡Cambia radicalmente la apariencia de los personajes con los que juegas!

EL PELOTÓN PATO

VENIFT

¡Con estos aspectos te lo pasarás cuacuásticamente! ¿Quién no querría tener el aspecto de un patito amarillo vestido con una ropa fantástica?

LOS ADOLESCENTES CARMESÍES

STREET STUDIOS

A nadie le interesa más la moda que a un adolescente. Estos atuendos supermolones están inspirados en el bioma del cerezal, uno de los biomas más bonitos del juego.

ESCRIBE TU PROPIA AVENTURA

ESCRIBE CON ART

¡Prepárate para estrujarte el cerebro, porque vamos a inventarnos una aventura increíble! Minecraft te inspira un montón de historias: ¡al fin y al cabo, participas en una nueva aventura cada vez que juegas! Vamos a escribir un relato épico que podrás compartir con tus amigos... ¡o podrás vivir la próxima vez que cargues el juego!

EL PERSONAJE PRINCIPAL

Primero, tienes que crear al protagonista, que será el centro de la trama. Podrías ser tú o podría ser alguien totalmente inventado, ¡tú decides! ¿Tendrá como compañero de aventuras a un mob? Podría ser cualquier cosa, desde un lobo hasta un ayudante.

NOMBRE: ....

¿QUÉ DESEA?: ....

....

POR EJEMPLO: PUEDE QUE DESEE SER EL HÉROE DE LA ALDEA, O ENCONTRAR UNOS DIAMANTES, O DAR CON EL TÓTEM DE LA INMORTALIDAD...

DIBÚJALO AQUÍ

EL ANTAGONISTA

Un antagonista es el enemigo de tu protagonista. Intentará desbaratar sus planes o se interpondrá en su camino para impedir que alcance sus metas. Puede ser cualquier cosa, desde un mob hostil hasta otro jugador.

NOMBRE: ....

¿QUÉ DESEA?: ....

....

DIBÚJALO AQUÍ

INICIO

¡Toda historia tiene un comienzo! Aquí es donde establecerás qué desea tu personaje e iniciará el viaje hacia su meta.

....
....
....
....
....
....
....
....

NUDO

Aquí es donde las cosas se complican. Tal vez porque el antagonista trata de impedir que tu personaje avance. Para que el protagonista tenga éxito, deberá enfrentarse a los problemas que le plantea su enemigo. ¿Su compañero de aventuras le ayudará o empeorará las cosas?

....
....
....
....
....
....
....

DESENLACE

Tu personaje principal derrota a su enemigo y alcanza su objetivo. O no... ¡Tú decides!
De un modo u otro, ¡toda historia debe tener un final emocionante!

....
....
....
....
....
....

¡FIN!

¿QUÉ PREFERIRÍAS...?

¡Pon a prueba tu capacidad de tomar decisiones con estas preguntas de ¿Qué preferirías...? ambientadas en el mundo de Minecraft! ¿Por qué opción te decantarás? Puedes preguntarles a tus amigos qué harían ellos en tu lugar para comprobar si tomarían las mismas decisiones que tú.

JUEGA CON ZURI

TE HAS HECHO AMIGO DE UN MOB, PERO NO ES LA MASCOTA QUE IMAGINABAS.

¿Preferirías un cerdo que se comiera todo lo que cultivases y te siguiera a todas partes

O

una cabra que te embista cada vez que disfrutas de las vistas desde un precipicio?

ACABAS DE FRUSTRAR EL ASALTO A UNA ALDEA E IMAGINAS CUÁL PODRÍA SER TU RECOMPENSA.

¿Preferirías recibir un inventario lleno de esmeraldas

O

que un aldeano servicial te hiciera galletas a diario durante el resto de tu vida?

HAS INVENTADO UNA NUEVA POCIÓN, PERO EL EFECTO NO ES DEL TODO EL DESEADO.

¿Preferirías saltar muy lejos, aunque siempre te estrelles al caer

O

ser invisible a voluntad, pero con una armadura visible?

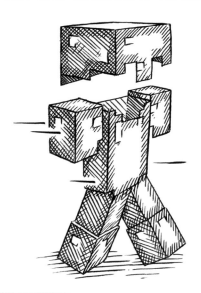

QUIERES ACUMULAR MOBS, PERO NO ESTÁS SEGURO DE CUÁLES ELEGIR.

¿Preferirías poseer un ejército de gallinas que te proporcionen huevos sin fin (y algún pollo de vez en cuando para cenar)

O

tener un ejército de gatos que mantengan a raya a los creepers y a los fantasmas y que, además, te traigan regalos por las mañanas?

AL DESPERTAR, UNA DE TUS PESADILLAS SE HA HECHO REALIDAD.

¿Preferirías que los Dragones de Ender entraran en el Mundo superior y cenaran aldeanos

O

que te siguiera a todas partes un vendedor errante que ha formado un grupo de canto con sus llamas y nunca deja de cantar?

CREA

LOS BLOQUES DE BROWNIE

¡Si te gusta el chocolate, adorarás estos bloques de brownie! Gracias a estos esponjosos brownies con chocolate y coco por encima, tus amigos y familiares, y quizás algún que otro mob hostil, harán fila en la puerta de tu casa para probar un bocado. ¡Arremángate, que vamos a cocinar!

COCINA
CON ARI

INGREDIENTES

DEL BROWNIE
- 175 g de mantequilla
- 200 g de chocolate negro
- 300 g de azúcar fino
- 150 g de harina común
- 3 huevos
- virutas de chocolate

DE LA COBERTURA
- 100 g de chocolate
- 50 g de coco rallado
- 1/2 cucharadita de gelatina verde
- 1/2 cucharadita de agua

UTENSILIOS
- Recipiente para microondas
- Cuenco grande
- Cuchara de madera
- Vaso
- Espátula de goma
- Papel para hornear
- Molde para horno

¿Y LOS CELÍACOS?
Usa harina sin gluten.
¿Y LOS INTOLERANTES A LA LACTOSA?
Asegúrate de que ningún ingrediente contenga lactosa.

INSTRUCCIONES

MEZCLA

PASO 1 Precalienta tu horno a 180 °C / 160 °C.

PASO 2 Echa el chocolate negro y la mantequilla en un recipiente apto para microondas. Con un adulto, calienta la mezcla en el microondas en tandas de 30 segundos. Entre una y otra, revuelve la mezcla hasta que el chocolate se derrita.

PASO 3 Vierte el chocolate derretido en un cuenco y añade el azúcar. Mézclalo todo con una cuchara de madera.

PASO 4 Mide con cuidado la cantidad de harina y mézclala con el resto de los ingredientes en el cuenco.

PASO 5 Rompe los 3 huevos con el canto de un vaso y añádelos de uno en uno al cuenco. Mézclalo todo hasta que obtengas una masa brillante achocolatada.

PASO 6 Ahora, agrega las virutas de chocolate.

PASO 7 Forra el molde con papel de hornear; asegúrate de cubrir también los bordes. Vierte la masa y repártela bien por el molde con una cuchara o una espátula.

HORNEA

PASO 8 Pide a un adulto que meta la masa en el horno entre 30 y 35 minutos. Para saber si la masa está lista, clava un cuchillo en la parte central. Si al sacarlo está recubierto de una masa cruda, aún falta, pero si lo que sacas son algunas migas húmedas, ¡la masa está lista!

PASO 9 Deja enfriar la masa de los brownies en el molde; como esto podría llevar un buen rato, aprovecha para leer el resto de este anuario mientras esperas.

PASO 10 En cuanto la masa de los brownies se haya enfriado, colócala sobre una tabla de cortar y pide a un adulto que la corte en bloques.

DECORA

PASO 11 Si te contentas con que tengan el aspecto de unos bloques de tierra, ya has terminado. Pero si quieres que los brownies se asemejen a bloques de hierba, sigue leyendo. En varias tandas de 30 segundos, derrite en el microondas el chocolate que usarás para la cobertura en un recipiente apto.

PASO 12 Entretanto, mezcla el agua y la gelatina de color; después, añade el coco rallado. Agrega más gelatina si es necesario hasta obtener el verde deseado.

PASO 13 Con una cucharilla, añade un poco de chocolate derretido sobre cada brownie.

PASO 14 Ahora, agrega una generosa cantidad de coco rallado en la parte superior.

PASO 15 Admira tus brownies... ¡y disfrútalos con tus familiares y amigos!

Si quieres darle un toque distinto, puedes teñir el coco de morado y así tus brownies parecerán bloques de micelio. Si dejas el coco de color blanco, ¡parecerá un bloque de hierba nevado!

LOS ELEMENTOS BORRADOS

DESCUBRE
CON NOOR

En los 15 años de existencia de Minecraft, se han añadido infinidad de mobs, biomas y objetos nuevos. Pero si hace tiempo que eres fan de Minecraft, puede que hayas notado que algunos elementos han sido eliminados. ¿Cuántos de estos elementos has visto?

LA CASA INICIAL

En los días de Java Edition, podías comenzar el modo Supervivencia con una casa con todo lo que necesitabas para tus primeros pasos. Ahora, sobrevivir es más complicado, ¡comienzas sin nada!

EL CUERNO DE COBRE

Era un instrumento musical con un aspecto peculiar que podía reproducir tres sonidos, según la dirección en que miraras.

CUEVAS E ISLAS FLOTANTES

En las Cuevas, todo tu mundo de Minecraft estaba construido dentro de una cueva enorme; mientras que en las Islas Flotantes, ¡había fragmentos del Mundo superior suspendidos en el aire por encima de ti!

REACTOR / CHAPITELES DEL INFRAMUNDO

En su día, podías construir un reactor del Inframundo. Cuando se activaba, generaba un chapitel del Inframundo repleto de objetos.

LOS ELEMENTOS QUE NO SE USAN

Hay algunos mobs que nunca se incorporaron al juego de una manera oficial, pero que todavía existen en el código. ¿Por qué no intentas invocarlas para ver qué ocurre?

CONEJO ASESINO

Comando *solo para Java:* / summon rabbit ~ ~ ~ {RabbitType:99}
¿Crees que los conejos son adorables? ¡Pues este te mantendrá en vilo, e incluso puede que te dé algún mordisquito!

ILUSIONISTA

Comando solo para Java: / summon illusioner
Si te parece que los saqueadores, evocadores y vindicadores no son un reto a tu altura, invoca al ilusionista. Este maldeano tiene muchos trucos (o más bien, unas armas mortíferas) bajo la manga.

ZOMBI GIGANTE

Comando solo para Java: / summon giant
Piénsatelo antes de invocar a un zombi gigante, porque su nombre no es una exageración: ¡este mob es realmente descomunal!

EL CABALLO ZOMBI

Comando: / summon zombie_horse o usa un huevo de generación
¿Has estado soñando con un caballo verde? ¡Seguro que no es como este! En el modo Creativo, puedes crear a este mob con un comando o generarlo.

ALGO SOSPECHOSO

¿No te habías fijado en la arena sospechosa ni en la grava sospechosa? Pero ¿dónde has estado metido todo este tiempo? ¡Agarra un cepillo, que vamos a frotar! Cada bloque sospechoso alberga en su interior una sorpresa: ¿qué habrá escondido ahí dentro? ¡Vamos a averiguarlo!

Océano cálido

Océano frío

¿DÓNDE PUEDO ENCONTRARLOS?

Si estás en el desierto, busca algún templo o algún pozo del desierto. En el fondo de estas construcciones, hallarás arena sospechosa. También encontrarás bloques sospechosos en las ruinas oceánicas: de arena si es un océano cálido y de grava si es uno frío. Por último, hallarás grava sospechosa en las ruinas perdidas. Se generan en biomas boscosos como la taiga, los bosques antiguos y los biomas selváticos, y solo verás su punta sobresaliendo del suelo. Así que la próxima vez que estés paseando por el bosque, si te topas con algunos bloques que no parecen encajar en ese lugar, deberías excavar, pues podrías hallar algo muy provechoso.

Templo del desierto

Pozo del desierto

Ruinas perdidas

¿POR QUÉ SE LES LLAMA SOSPECHOSOS?

Porque están ocultando algo. Frótalos con un cepillo y verás qué objeto tiene dentro.

PERO ¿QUÉ TIENEN DENTRO?

Podrás encontrar tintes, velas, semillas, paneles de cristal de colores y señales colgantes. Si tienes suerte, darás con un fragmento de cerámica o una plantilla de herrería (ve a la página 18).

¿QUÉ ES UN FRAGMENTO DE CERÁMICA?

Es un objeto bastante vulgar, pero si juntas cuatro, tendrás una bonita vasija decorada. Hay 20 patrones distintos a lo largo y ancho del Mundo superior, ¿a qué estás esperando? ¡Ponte a buscarlos!

DECORA UNA ALDEA

Podrías dejar las aldeas como están..., pero eso no tendría ninguna gracia, ¿verdad? Aprovecha algunas de estas ideas para añadir tu propio toque creativo a las aldeas del Mundo superior y dotarlas de carácter. ¿Por qué vas a conformarte con tener lo mismo que los demás?

LA HERRERÍA

¿Quieres que tu herrería pase de básica a épica? Fabrica una chimenea industrial con una mezcla de ladrillos y ladrillos de barro. Contará con una fogata rodeada de escotillas de abeto en la parte superior. Agrégale un tejado con unos ladrillos de piedra en los bordes. Después, suma detalles como barriles, ladrillos de piedra cincelados, botones de piedra y un alféizar.

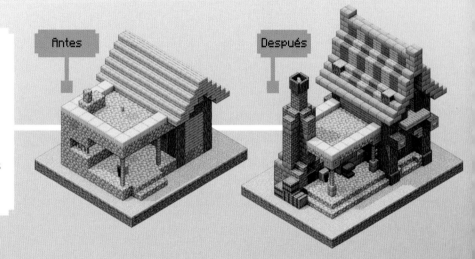

Antes

Después

EL POZO

¡Transforma tu pozo en un pozo de los deseos! Amplía la zona de agua y rodéala con ladrillos de piedra y escaleras de ladrillos de piedra y de ladrillos de piedra musgosos. Agrega dos pilares de troncos de roble y haz un techo en pico con escaleras de roble, escaleras de ladrillos de piedra y ladrillos de piedra en la parte superior. Por último, pon un tronco de roble sin corteza en ambos lados y un botón de piedra.

Antes

Después

LA GRANJA

¿Por qué no proteges tu granja de un modo creativo? Cambia los troncos de roble por escaleras de adoquines y de adoquines musgosos; luego, pon un compostador en cada esquina. Añade vallas de roble alrededor del perímetro y coloca pequeños arcos de losas de roble y vallas de roble sobre dos puertas hechas con vallas de roble. Coloca linternas en tus vallas. ¡Oh, qué mono!

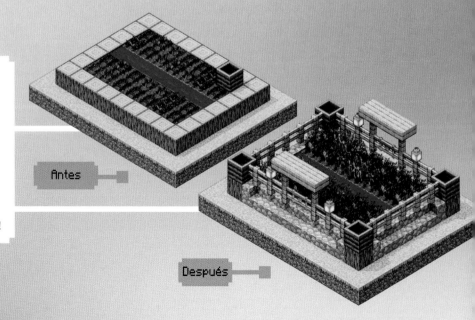

Antes

Después

Antes

Después

LA CASA

Personaliza las casas de los aldeanos. Primero, redecora el techo con escaleras y losas de abeto, y cuelga linternas en las esquinas. Añade un porche a la entrada y haz una chimenea, con su humo y todo. Remata la obra con ladrillos de piedra y de piedra musgosos, barriles y un bloque de hierba rodeado de un macetero hecho con escotillas de abeto.

Antes

Después

LAS FAROLAS

Las farolas de las aldeas cumplen su función, pero no les vendría mal un retoque. Construye una nueva farola con un bloque de piedra cincelada, una pared de ladrillo de piedra, unas vallas de roble y un tablón de roble flanqueado por dos losas de roble encima. ¡Añade dos linternas colgantes bajo las losas y tendrás una farola supermolona!

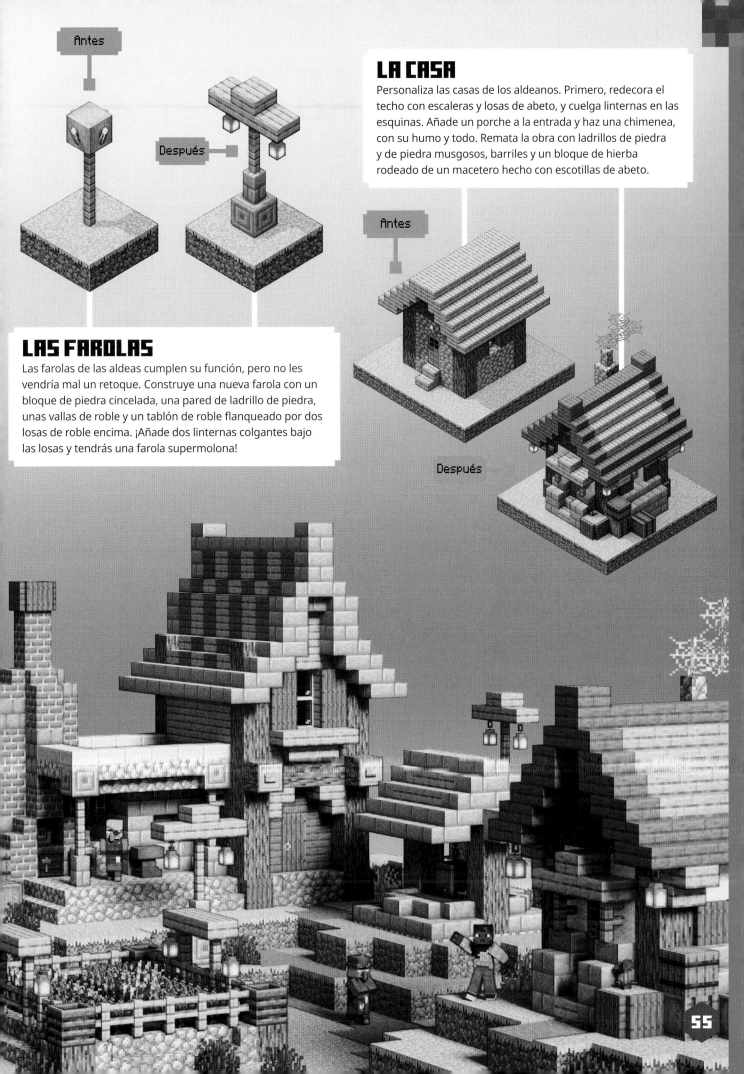

SOPA DE LETRAS

¡Espera un momento!, ¿eso que veo ahí en la selva es terracota? Pero ¿qué hace ahí? Espera. ¡Hay más debajo! Sigue excavando a través de esta sopa de letras y mira qué bloques puedes hallar en las ruinas perdidas. Anota sus nombres en las líneas inferiores.

PUZLES CON STEVE

```
Y  B  T  T  C  J  A  P  R  J  C  H  J  C  T
R  T  I  E  R  R  A  D  E  L  C  A  M  P  O
H  U  H  R  O  M  R  L  L  G  R  R  R  T  C
U  M  O  R  Q  T  R  N  E  L  E  X  L  P  E
C  Z  Ñ  A  V  N  E  Z  P  F  E  L  E  J  L
Y  B  V  C  C  J  I  P  A  C  P  U  J  C  O
C  H  W  O  E  C  T  E  R  U  E  P  U  M  T
H  U  H  T  O  M  N  T  D  G  R  P  G  T  E
U  M  O  A  D  O  Q  U  I  N  P  I  L  P  I
C  Z  Ñ  D  V  N  Q  Z  Y  E  J  E  E  J  E
H  A  M  A  I  A  R  W  P  P  U  S  H  U  S
E  B  A  C  P  P  C  E  I  I  LL G  G  LL O
S  H  N  S  A  T  H  R  Q  E  U  Q  R  U  Q
R  T  T  E  N  R  E  D  A  D  E  R  A  X  F
F  L  A  R  D  N  A  L  O  R  Ñ  Ñ  P  V  Ñ  P
Q  R  S  N  A  J  I  W  T  A  B  C  A  B  C
```

COSAS QUE HAS ENCONTRADO

- ☐ C _ _ _ _ _ _
- ☐ E _ _ _ _ _ _ _ _
- ☐ T _ _ _ _ _ _ _ _
- ☐ G _ _ _ _
- ☐ O _ _ _ _ _ _
- ☐ P _ _ _ _
- ☐ A _ _ _ _ _ _
- ☐ T _ _ _ _ _
- ☐ T _ _ _ _ _ D _ _ C _ _ _ _
- ☐ P _ _ _ _

Comprueba las respuestas en la página 68

15 YEARS

MINECRAFT

SUDOKU

¡Oh, hay grava sospechosa en estas ruinas perdidas! ¿Qué encontraremos si la frotamos con los cepillos? Usa el tuyo para completar este puzle y asegúrate de que cada objeto aparezca solo una vez en cada casilla y línea.

PUZLES
CON STEVE

CONSEJO Si no quieres dibujar los objetos, utiliza los números que ves aquí.

1   2   3   4   5   6   7   8   9

CREACIONES COMUNITARIAS

DESCUBRE CON NOOR

Minecraft tiene una de las comunidades más grandes, ¡y MEJORES!, que existen, en la que gente de todo el mundo comparte sus descubrimientos y creaciones. Aquí tienes algunas de vuestras creaciones que más han llamado nuestra atención este año. ¿Qué será lo próximo que construiréis?

MOLINO DE VIENTO CAPRICHOSO

POR SPARKLEEGG

«Construir con bloques de infiedra puede ser muy complicado, pero descubrí que queda genial si se le añade madera de manglar. Después, si agregas madera de cerezo y de abeto, y unos ladrillos de barro, tendrás una paleta de colores realmente agradable». ¿Qué bloques puedes combinar para dotar de un aspecto similar a tus construcciones?

BIBLIOTECA DE ENCANTAMIENTOS

POR AUDIIBEE

«Quería aprovechar de una forma sencilla y bonita las cuevas. Usé estanterías de libros y linternas para crear un ambiente acogedor». ¿Quién se podría imaginar que una cueva pudiera transformarse en una biblioteca tan mágica? ¡Piensa más usos para las cuevas!

LA CALLE HISTÓRICA
POR CLAIRE1593

«Usé los bloques según el aspecto que quería que tuviera cada edificio. Me inspiré en la ciudad austríaca de Viena». ¡Y lo cierto es que nos ha transportado ahí! Estos edificios son un gran ejemplo del increíble nivel de detalle que puedes lograr si añades escaleras, paredes, losas y vallas.

LA MANSIÓN DE LOS CHAMPIÑONES
POR KATZIL

«Construí este edificio para que mi mundo tuviera un aire un poco más tradicional y rural. Usé bloques de champiñones para el techo y le añadí vigas de abeto y bloques de roble oscuro, ¡lo que dotó a la construcción de unos colores geniales!». Nos encanta la calidez que transmite la mansión y esos detalles tan monos. ¡¿Por qué no incorporas bloques de champiñones en tu próxima construcción?!

LA OFICINA CENTRAL DE SOUP
POR BRINGMESOUP

«Quería construir un edificio de oficinas donde mis amigos y yo pudiéramos crear contenido juntos. Por eso, esta construcción significa mucho para mí... ¡porque un día me verás aquí! Tiene colores neutros y tardé alrededor de una hora en construirlo». ¿No es increíble que una construcción en Minecraft pueda acabar en el mundo real? ¡Nos encanta lo moderno y elegante que es este edificio!

CÓMO SOBREVIVIR AL ASALTO A UNA ALDEA

GUÍA PARA EXPERTOS
HECHA POR EFE

¿Crees que los asaltos a las aldeas son una invitación a desatar el caos? ¡Así es! Pero ya sea que estés buscando un reto o que no fuera premeditado, debes saber qué te vas a encontrar y cómo ganar. ¡Echemos un vistazo!

¿QUÉ ES UN ASALTO A UNA ALDEA?

Un asalto a una aldea lo desencadena el jugador y consiste en que unos maldeanos invaden una aldea para vencer a los aldeanos... ¡y a ti! Si todos los aldeanos son derrotados, el asalto terminará y perderás.

¿CÓMO SE DESATAN?

Si vences a un capitán saqueador, recibes el efecto de estado de Mal Presagio. Si entras en una aldea con este efecto, tendrá lugar un asalto.

¿QUÉ SUCEDE?

Al entrar a una aldea, aparecerá un grupo de saqueadores dispuestos a vengar a su capitán. En la parte superior de la pantalla, verás una barra que indica cuántos mobs tienes que derrotar para que esa oleada termine. Pero tendrás que superar oleadas cada vez más difíciles, ya que se irán sumando mobs, como brujas, evocadores, vindicadores y devastadores.

¿CUÁNTAS OLEADAS TENDRÁS QUE RESISTIR?

El número de oleadas dependerá del modo de dificultad en que estés jugando:

PACÍFICO = 0   FÁCIL = 3
NORMAL = 5   DIFÍCIL = 7

¿SE PUEDEN EVITAR?

¡En realidad, sí! Si has derrotado a un capitán saqueador y no quieres desencadenar un asalto, bebe un poco de leche antes de entrar a una aldea.

ENTONCES, ¿POR QUÉ TE INTERESARÍA DESENCADENARLA?

¡Por las recompensas! Si sobrevives a un asalto a una aldea, los aldeanos te recompensarán con el efecto de estado de Héroe de la Aldea, lo que significará que los aldeanos te harán descuentos en todas las transacciones. Además, se celebrará un espectáculo de fuegos artificiales en tu honor y te colmarán de regalos para mostrarte su agradecimiento. Por suerte para ti, no cabe duda de que ignoran que fuiste tú quien desencadenó el asalto. ¡Shhh, si tú no se lo cuentas, nosotros tampoco!

¿Y QUÉ ES LO MEJOR?

Pues que cada vez que derrotes a un evocador durante un asalto, este dejará caer un tótem de la inmortalidad ¡que te permitirá engañar a la muerte!

¿CÓMO PUEDES PREPARARTE?

Si quieres vencer, añade a tu inventario el máximo número posible de los objetos que aparecen en esta lista:

- ARMADURA RESISTENTE, UN ESCUDO Y REPUESTOS
- BLOQUES DE REPUESTO
- ARCOS Y MUCHAS FLECHAS
- ESPADA RESISTENTE, O DOS
- CAMA
- BARCOS
- LINGOTES DE HIERRO
- BLOQUES DE HIERRO
- CALABAZAS
- LANZADOR DE FUEGOS ARTIFICIALES

- COMIDA: LLEVA ALIMENTOS CON ALTO VALOR NUTRICIONAL, COMO CHULETAS DE CERDO FRITAS O ZANAHORIAS DORADAS
- POCIONES DE REGENERACIÓN
- ESMERALDAS PARA COMERCIAR DESPUÉS

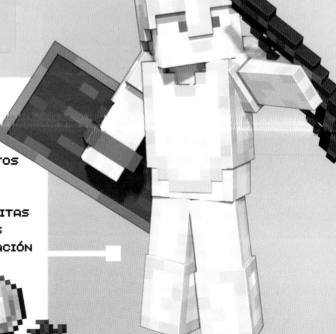

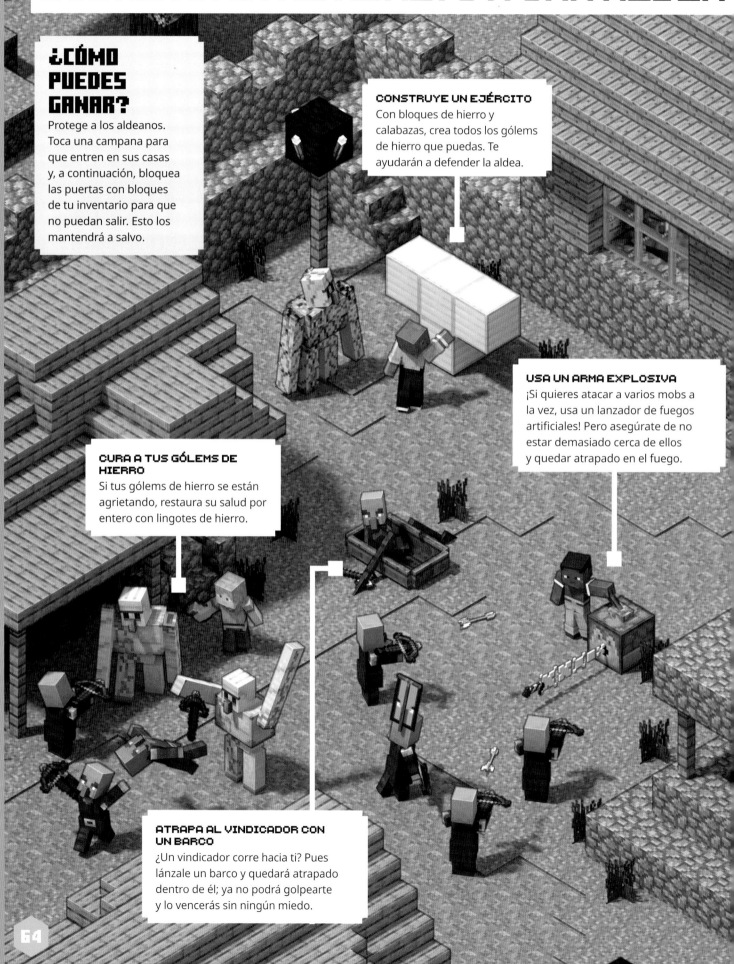

SOBREVIVIR AL ASALTO A UNA ALDEA

¿CÓMO PUEDES GANAR?

Protege a los aldeanos. Toca una campana para que entren en sus casas y, a continuación, bloquea las puertas con bloques de tu inventario para que no puedan salir. Esto los mantendrá a salvo.

CONSTRUYE UN EJÉRCITO

Con bloques de hierro y calabazas, crea todos los gólems de hierro que puedas. Te ayudarán a defender la aldea.

USA UN ARMA EXPLOSIVA

¡Si quieres atacar a varios mobs a la vez, usa un lanzador de fuegos artificiales! Pero asegúrate de no estar demasiado cerca de ellos y quedar atrapado en el fuego.

CURA A TUS GÓLEMS DE HIERRO

Si tus gólems de hierro se están agrietando, restaura su salud por entero con lingotes de hierro.

ATRAPA AL VINDICADOR CON UN BARCO

¿Un vindicador corre hacia ti? Pues lánzale un barco y quedará atrapado dentro de él; ya no podrá golpearte y lo vencerás sin ningún miedo.

ACUÉRDATE DE DORMIR
Si se hace de noche y no quieres acabar luchando contra los maldeanos y los mobs hostiles nocturnos, encuentra un lugar seguro lo bastante lejos de esos mobs hostiles para poder dormir plácidamente toda la noche. Y no olvides establecer tu punto de regeneración en la aldea, para no terminar en algún lugar muy lejano si resultas derrotado.

PARTICIPA EN LA BATALLA
Desenvaina tu espada o hacha y súmate a la batalla... si eres valiente. Y si eres rápido, podrás golpear a los saqueadores antes de que les dé tiempo a tensar sus ballestas.

PREGUNTAS SOBRE MOBS

¿Eres un experto en mobs? Seguro que distingues a un zombi de un ahogado y a un errante de un esqueleto, pero ¿sabes qué deja caer cada mob? ¡Vamos a examinar tus conocimientos! Empareja cada uno de estos mobs con el objeto que podrían dejar caer.

GHAST

BLAZE

A FONDO MARINO

B AMAPOLAS

C BOTELLA DE CRISTAL

D TRIDENTE

AHOGADO

ESQUELETO DE WITHER

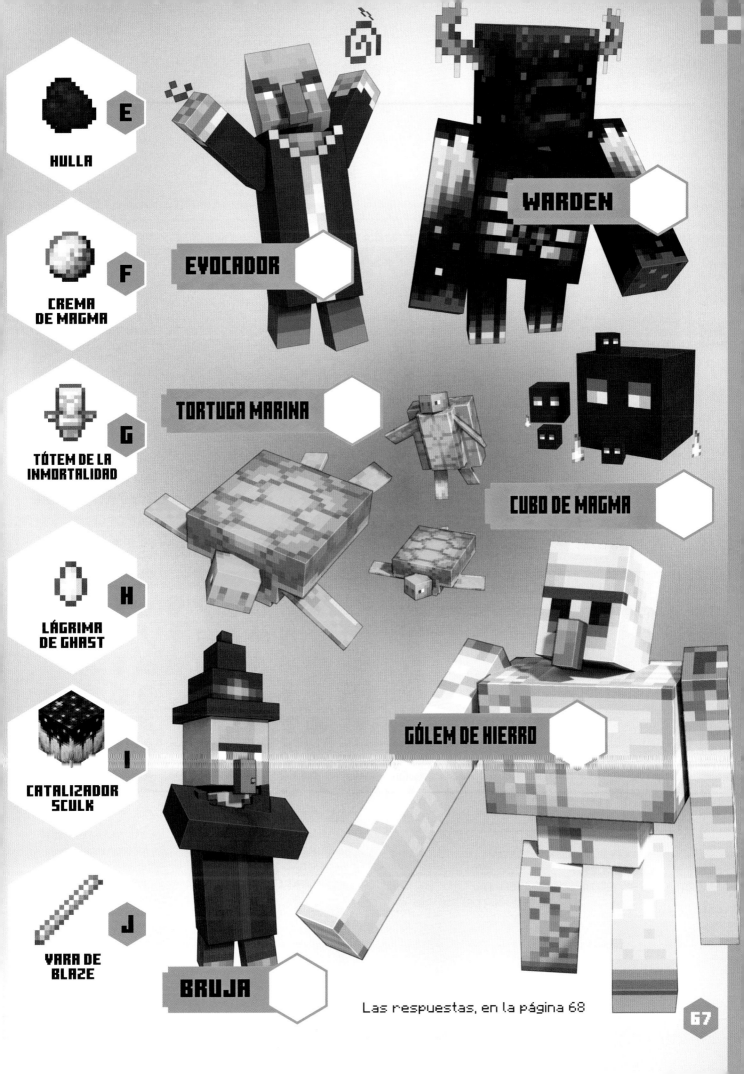

HULLA — E

CREMA DE MAGMA — F

TÓTEM DE LA INMORTALIDAD — G

LÁGRIMA DE GHAST — H

CATALIZADOR SCULK — I

VARA DE BLAZE — J

EVOCADOR

WARDEN

TORTUGA MARINA

CUBO DE MAGMA

GÓLEM DE HIERRO

BRUJA

Las respuestas, en la página 68

RESPUESTAS

16-17

24-25

56

Y	B	T	T	C	J	A	P	R	J	C	H	J	C	T
R	T	I	E	R	R	A	D	E	L	C	A	M	P	O
H	U	H	R	O	M	R	L	L	G	R	R	R	T	C
U	M	O	R	Q	T	R	N	E	L	E	X	L	P	E
C	Z	Ñ	A	V	N	E	Z	P	F	E	L	E	J	L
Y	B	V	C	C	I	P	A	C	P	U	J	C	O	O
C	H	W	O	E	C	T	E	R	U	E	P	U	M	T
H	U	H	T	O	M	N	T	D	G	R	P	G	T	E
U	M	O	A	D	O	Q	U	I	N	P	I	L	P	I
C	Z	Ñ	D	V	N	Q	Z	Y	E	J	E	E	J	E
H	A	M	A	I	A	R	W	P	P	U	S	H	U	S
E	B	A	C	P	P	C	E	I	I	LL	G	LL	G	O
S	H	N	S	A	T	H	R	Q	E	U	Q	R	U	Q
R	T	T	E	N	R	E	D	A	D	E	R	A	X	F
F	L	A	R	D	N	A	L	O	R	Ñ	P	V	Ñ	P
Q	R	S	N	A	J	I	W	T	A	B	C	A	B	C

CREEPER	PIEDRA
ENREDADERA	ADOQUÍN
TERRACOTA	TIERRA
GRAVA	TIERRA DEL CAMPO
OCELOTE	PANDA

59

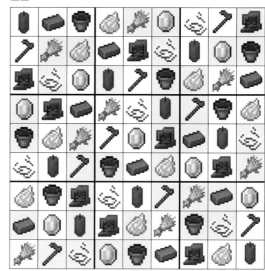

66-67

1. GHAST - **LÁGRIMA DE GHAST**
2. BLAZE - **VARA DE BLAZE**
3. AHOGADO - **TRIDENTE**
4. ESQUELETO DE WITHER - **HULLA**
5. EVOCADOR - **TÓTEM DE LA INMORTALIDAD**
6. WARDEN - **CATALIZADOR SCULK**
7. TORTUGA MARINA - **FONDO MARINO**
8. CUBO DE MAGMA - **CREMA DE MAGMA**
9. BRUJA - **BOTELLA DE CRISTAL**
10. GÓLEM DE HIERRO - **AMAPOLAS**

ADIÓS

¡Vaya, qué año tan fantástico! ¡Y qué ganas de que llegue el próximo! Pronto volveremos a hablar de todas esas cosas fascinantes en las que estamos trabajando. ¡Muchas gracias por jugar!

Jay Castello
Mojang Studios

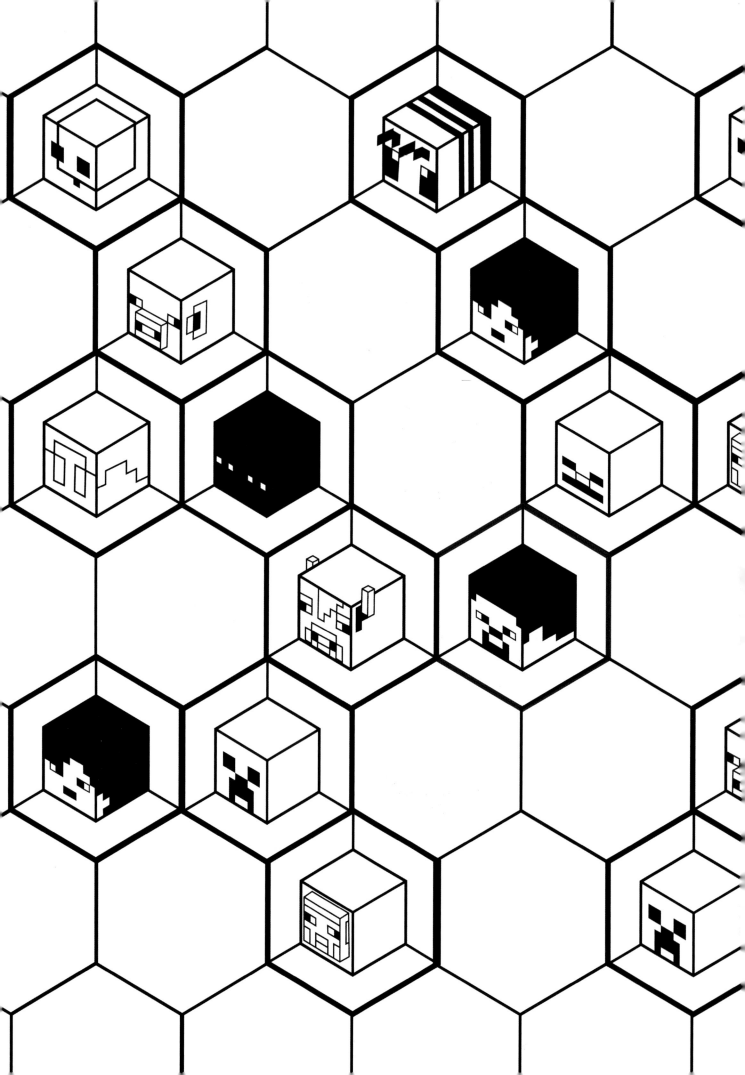